이런 바보 또 없습니다

노무현

이런 바보 또 없습니다 **아! 노무현**

초판 1쇄 발행 2009년 6월 11일
초판 3쇄 발행 2009년 6월 23일

지은이   유시민 · 진중권 · 홍세화 외

펴낸곳   책으로 보는 세상
출판등록   제311-2008-000020호(2008. 5. 13)
주소   서울시 마포구 합정동 385-19 은암빌딩 3층
전화   02-322-0513, 0514
팩스   02-2664-7788
이메일   chaekbose@gmail.com

ⓒ 김보경, 김삼웅, 김상철, 김어준, 김작가, 김종배, 김주대, 김평호, 도종환, 문정인, 박노해, 박동천,
   박원순, 박지웅, 방현석, 배혜정, 백무산, 위창남, 유시민, 유용주, 윤민석, 윤태영, 이광재, 이대근,
   이도흠, 정기용, 정운현, 정재현, 정희준, 조 국, 주경복, 진중권, 홍세화, 홍윤기, 황현산, 2009
ISBN 978-89-93854-02-2(03300)

이 도서의 국립중앙도서관 출판시도서목록(CIP)은 e-CIP 홈페이지(http://www.nl.go.kr/ecip)에서
이용하실 수 있습니다.(CIP제어번호: CIP2009001644)

이런 바보 또 없습니다
아! 노무현

유시민 · 진중권 · 홍세화 외 지음

책보세

2009년 5월 29일 영결식을 마친 故 노무현 전 대통령의 운구행렬이 서울광장을 향하고 있는 가운데
전국 각지에서 모인 수십만 명의 추모행렬이 광장을 메우고 있다.
ⓒ인터넷사진공동취재단 남소연

일러두기

• 이 책은 〈경향신문〉〈민중의소리〉〈오마이뉴스〉〈프레시안〉〈한겨레〉 등의 일간지 및 인터넷신문, 월간 《말》 그리고 각종 블로그 등에 발표된 글들 가운데 고인의 진면목을 밝히고 뜻을 잘 드러낸 글을 추려 모아 편집한 '故 노무현 대통령 서거 추모집'이다.

• 본문에 쓴 사진은 홈페이지 〈사람사는 세상〉에서 내려 받아 사용했다.

우리는 '바보'와 사랑을 했네

오늘은 두 손으로 얼굴을 가리고 웁니다
기댈 곳도 없이 바라볼 곳도 없이
슬픔에 무너지는 가슴으로 웁니다

당신은 시작부터 바보였습니다
떨어지고 떨어지고 또 떨어지면서도
정직하게 열심히 일하는 사람이 잘 살 수 있다고
웅크린 아이들의 가슴에 별을 심어주던 사람

당신은 대통령 때도 바보였습니다
멸시받고 공격받고 또 당하면서도
이제 대한민국은 국민이 대통령이라고
군림하던 권력을 제자리로 돌려준 사람

당신은 마지막도 바보였습니다
백배 천배 죄 많은 자들은 웃고 있는데

많은 사람들을 힘들게 했다고, 저를 버려달라고,
깨끗하게 몸을 던져버린 바보 같은 사람

아, 당신의 몸에는 날카로운 창이 박혀 있어
저들의 창날이 수도 없이 박혀 있어
얼마나 홀로 아팠을까
얼마나 고독하고 힘들었을까

표적이 되어, 표적이 되어,
우리 서민들을 품에 안은 표적이 되어
피흘리고 쓰러지고 비틀거리던 사랑

지금 누가 방패 뒤에서 웃고 있는가
너무 두려운 정의와 양심과 진보를
두 번 세 번 죽이는 데 성공했다고
지금 누가 웃다 놀라 떨고 있는가

지금 누가 무너지듯 울고 있는가
"당신이 우리를 위해 얼마나 열심히 인생을 사셨는데"
"당신이 지키려 한 우리는 당신을 지켜주지도 못했는데"
지금 누가 슬픔과 분노로 하나가 되고 있는가

바보 노무현!

당신은 우리 바보들의 '위대한 바보'였습니다
목숨바쳐 부끄러움 빛낸 바보였습니다

다들 먹고 사는 게 힘들고 바쁘다고
자기 하나 돌아보지 못하고 타협하며 사는데
다들 사회에 대해서는 옳은 말을 하면서도
정작 자기 삶의 부끄러움은 잃어가고 있는데
사람이 지켜가야 할 소중한 것을 위해
목숨마저 저 높은 곳으로 던져버린 사람아

당신께서 문득 웃는 얼굴로 고개를 돌리며
그리운 그 음성으로 말을 하십니다
이제 나로 인해 더는 상처받지 마라고
이제 아무도 저들 앞에 부끄럽지 마라고
아닌 건 아니다 당당하게 말하자고

우리 서럽고 쓰리던 지난날처럼
'사람 사는 세상'의 꿈을 향해
서로 손 잡고 서로 기대며
정직한 절망으로 다시 일어서자고

우리 바보들의 '위대한 바보'가
슬픔으로 무너지는 가슴 가슴에

피묻은 씨알 하나로 떨어집니다

아 나는 '바보'와 사랑을 했네
속 깊은 슬픔과 분노로 되살아나는
우리는 '바보'와 사랑을 했네

박노해 l 시인

어버이날에

존경하는 국민 여러분!

오늘은 어버이날입니다. 저에게는 큰절을 두 번 하는 날입니다. 한 번은 저를 낳고 길러주신 저의 부모님께 감사드리는 절입니다. 또 한 번은 저를 대통령으로 낳고 길러주시는 국민 여러분께 감사드리는 절입니다.

저는 경남 김해 산골에서 태어났습니다. 판자 석자를 쓰시는 아버지와 성산 이씨이신 어머니의 막내로 태어났습니다. 세속적으로 보면 저도 크게 성공한 사람이지만 돌이켜보면 부모님이 많은 것을 주셨기 때문에 오늘이 있었던 것이 아닌가 생각합니다.

가난을 물려주셨지만 남을 돕는 따뜻한 마음도 함께 물려주신 아버지셨습니다. 매사에 호랑이 같았던 분이지만 바른 길을 가야 한다는 신념도 함께 가르쳐주신 어머니셨습니다. '내가 아프면 나보다 더 아픈 사람, 내가 슬프면 나보다 더 슬픈 사람, 내가 기쁘면 나보다 더 기쁜 사람' … 오늘 그 두 분에게 하얀 카네이션을 바칩니다.

국민 여러분!

대통령의 어버이는 국민입니다. 국회의원의 어버이도 국민입니다. 한 인간을 대통령으로 국회의원으로 만든 사람은 바로 국민이기 때문입니다. 이런 점에서 정치개혁은 그리 어려운 일이 아닙니다. 여러분 마음먹기에 달린 일입니다.

"대한민국의 주권은 국민에게 있고 모든 권력은 국민으로부터 나온다"고 명시된 대한민국 헌법 제1조는 이 나라의 정치인이라면 누구나 군말 없이 따라야 하는 지상명령입니다. 여러분의 관심 하나에 이 나라 정치인이 바뀌고 여러분의 결심 하나에 이 나라의 정치는 바뀌게 되는 것입니다.

그 관심과 결심 또한 그리 어려운 것이 아닙니다.

어버이의 마음을 가지시면 됩니다. 어버이는 자식을 낳아 놓고 '나 몰라라' 하지 않습니다. 잘 하면 칭찬과 격려를 해주고 잘못하면 회초리를 듭니다.

농부의 마음을 가지시면 됩니다. 농부는 김매기 때가 되면 밭에서 잡초를 뽑아냅니다. 농부의 뜻에 따르지 않고 선량한 곡식에 피해를 주기 때문입니다.

나라와 국민을 위해 일하라는 국민의 뜻은 무시하고 사리사욕과 잘못된 집단이기주의에 빠지는 일부 정치인. 개혁하라는 국민 대다수의 뜻은 무시하고 개혁의 발목을 잡고 나라의 앞날을 막으려 하는 일부 정치인. 나라야 찢어지든 말든 지역감정으로 득을 보려는 일부 정치인. 전쟁이야 나든 말든 안보를 정략적으로 이용하는 일부 정치인.

이렇게 국민을 바보로 알고 어린애로 아는 일부 정치인들에게 국민 여러분과 제가 할 일이 있습니다. 제가 할 일은 어떤 저항과 어떤 어려움이 있더라도 대통령의 의무인 대한민국 헌법 제1조를 지키는 것입니다. 살아 움직이는 헌법이 되도록 만드는 것입니다.

여러분께서 하실 일은 어버이의 마음을 가지시고 농부의 마음을 가지시는 것입니다.

국민 여러분!

저에게도 어버이의 회초리를 드십시오. 국민 여러분의 회초리는 언제든지 기꺼이 맞겠습니다. 아무리 힘없는 국민이 드는 회초리라도 그것이 국익의 회초리라면 기쁜 마음으로 맞고 온 힘을 다해 잘못을 고치겠습니다. 그러나 아무리 힘있는 국민이 드는 회초리라도 개인이나 집단의 사적인 이익을 위해 드는 회초리라면 매를 든 그 또한 국민이기에 맞지 않을 방법은 없지만 결코 굴복하지 않겠습니다.

'너 내 편이 안 되면 맞는다'는 뜻의 회초리라면 아무리 아파도 굴복하지 않겠습니다. 국민 여러분의 큰 뜻을 위배하라는 회초리라면 결코 굴복하지 않겠습니다. 제가 굴복하면 저에게 기대를 걸었던 많은 국민들은 기댈 데를 잃게 될 것이기 때문입니다. 제가 굴복하면 저에게 희망을 걸었던 많은 국민들은 희망을 잃게 될 것이기 때문입니다.

국민 여러분!

그런데 하나 경계해주실 것이 있습니다. 바로 집단이기주의입니다. 저는 대통령이 되기 전, 사회적 약자를 대변하는 인권변호사로서 살았습니다. 그래서 개인적으로는 힘있는 국민의 목소리보다 힘없는 국민의 목소리가 더 크게 들리는 체질입니다. 그러나 대통령으로서 국정을 할 때는 그 누구에게 혹은 어느 한 쪽으로 기울 수 없습니다. 중심을 잡고 오직 국익에 의해 판단할 수밖에 없습니다.

왜냐하면 대통령이 중심을 잃는 순간, 이 나라는 집단과 집단의 힘겨루기 양상으로 갈 것이기 때문입니다. 정치와 통치는 다릅니다. 비판자와 대통령이라는 자리는 다른 것입니다. 저는 인기에 연연하지 않고 국익이라는 중심을 잡고 흔들림 없이 가겠습니다.

국민 여러분!

저에게는 희망이 있습니다. 어떤 어려움이 있더라도 꼭 이루고 싶은 희망이 있습니다.

그 하나는 이익집단은 있지만 집단이기주의가 없는 대한민국입니다. 각자의 이익을 추구하지만 국가와 민족 앞에서는 한 발 물러서는 대한민국. 좀더 가지고 덜 가진 것의 차이는 있지만 서로 돕는 대한민국. 동東에 살고 서西에 사는 차이는 있지만 서로 사랑하는 대한민국. 바로 화합으로 도약하는 대한민국입니다.

다른 하나는 세대 차이는 있지만 세대 갈등은 없는 대한민국입니다. 자식은 부모세대가 민주주의를 유보하며 외쳤던 '잘 살아 보세'를 존중하고 부모는 내 아이가 주장하는 '개혁과 사회정의'를 시대의 메시지로 받아들이는 대한민국. 자식은 부모에게서 경험을 배우고 부모는 자식에게서 새로운 시대의 흐름을 배우는 대한민국. 자식은 밝게 자라게 해준 부모에게 감사하고 부모는 자식의 밝은 생각에서 새로운 것을 배우는 대한민국. 바로 사랑으로 행복한 대한민국입니다.

국민 여러분!

이 세상을 떠날 때 가장 후회스러운 것은 높은 자리, 많은 돈을 갖지 못한 것이 아니라고 합니다. 부모님을 한 번 더 찾아뵙지 못한 것, 사랑하는 아이를 한 번 더 안아 주지 못한 것, 사랑하는 가족에게 더 잘해주지 못한 것이 가장 후회스럽답니다. 저도 IMF 후 국가의 위기를 극복하는 데 도움이 되고자 전국의 노동자들을 설득하러 다니느라고 어머님의 임종을 지키지 못했던 일이 아직도 가슴에 남아 있습니다.

저의 이 편지가 부모님의 은혜를 한 번 더 생각하는 계기, 대한민국이라는 가족공동체를 한 번 더 생각하는 계기가 되었으면 좋겠습니다.

효도 많이 하십시오.
우리 모두의 가슴에 마음으로 빨간 카네이션을 바치며…

대한민국 새 대통령 노무현 ｜ 2003년 5월 8일

바보연가

– 노무현 전 대통령님의 서거를 추모하며 –

사·곡: 송앤라이프
편곡: 김 수 진

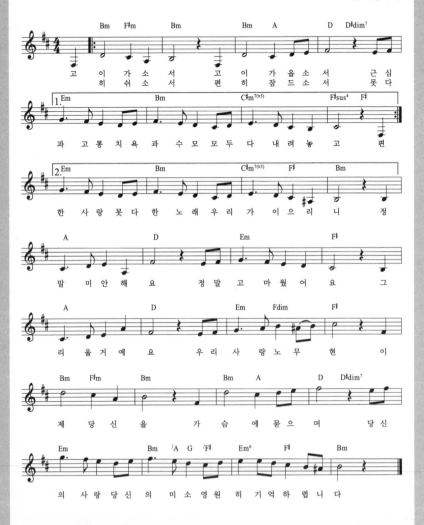

고 이 가 소 서 고 이 가 옵 소 서 근 심
히 쉬 소 서 편 히 잠 드 소 서 못 다

과 고 통 치 욕 과 수 모 모 두 다 내 려 놓 고 편

한 사 랑 못 다 한 노 래 우 리 가 이 으 리 니 정

말 미 안 해 요 정 말 고 마 웠 어 요 그

리 울 거 예 요 우 리 사 랑 노 무 현 이

제 당 신 을 가 슴 에 묻 으 며 당 신

의 사 랑 당 신 의 미 소 영 원 히 기 억 하 렵 니 다

〈바보 연가〉 이야기

20여 년 전 어느 날, 서울 모처에서 민주당 전당대회가 있었습니다. 선배의 소개로 하게 된 행사음악을 연주하는 아르바이트를 마치고나서, 당시의 대학생으로선 적잖은 액수의 아르바이트비를 받고는 즐거운 마음에 얼른 나가려고 악기를 주섬주섬 챙기고 있는데, 한 국회의원이 가지 않고 음향과 음악을 담당했던 실무자들에게로 다가와 일일이 악수를 하며 수고했다고 말하더군요.

제게도 다가와 악수를 건네고 나이 어린 저에게 꼬박꼬박 존댓말까지 쓰면서 "수고하셨습니다. 피아노 참 잘 치시대요"라고 웃으며 감사인사를 하던 그 사람….

권위적이고 거들먹거리는 정치인들만 보아오던 제겐 참 신선한 충격이었지요. 후에 이름을 알게 된 그분이 노무현 전 대통령이셨습니다.

추모곡 따위는 만들지 않으려 했습니다. 그분에 대한 호불호를 떠나 기막힌 그의 죽음이 믿어지지도 않으려니와 다른 많은 분들이 추모의 마음을 담은 절절한 노래들을 만들고 나누고 있는 상황에서 굳이 나까지 만들 필요가 있을까 싶었고, 또 워낙 제가 허물이 많은 사람이라 돌아가신 분께 혹시나 누가 되지 않을까 하는 마음에서였지요. 그리고 사실 개인적으로 작업을 할 여건도 아니었고요.

하지만 시간이 갈수록 그분 떠나시는 길에 노래 한 자락이라도 지어 올리지 않으면 도저히 제 마음이 편해질 것 같지 않더군요. 덕분에, 주변 후배님들에게 민폐 많이 끼쳤네요.

힘들게 버티면서도 민중가요를 놓지 않고 있는 '우리나라' 후배님들이 노래를 불러주었고요. 강의와 작업으로 정말 바쁜 와중에서도 기꺼이 편곡을 맡아 밤 잠 못 자가며 훌륭한 작품을 만들어준 김수진 후배님에게 심심한 감사와 존경의 인사를 보냅니다.

비록 아직도 저의 힘겨운 상황은 그 끝이 보이지 않아서 가까운 미래에 다시 뵙긴 힘들겠지만 언젠가는 또 다른 새로운 모습으로 송앤라이프를 사랑해주셨던 여러분들을 뵈올 날이 있겠지요. 부디 그때까지 몸 성히 강건하시길 진심으로 기원하며 이 글로 그 동안 보내주셨던 안부인사에 가름하는 또 한 번의 제 무례에 대해 여러분의 너그러운 양해를 구합니다.

감사합니다.

윤민석 | 송앤라이프 대표

슬픔을 넘어 성찰과 실천으로

그의 죽음은 어쩌면 예견된 것이었는지도 모릅니다. 임기를 마치고 고향으로 돌아가 자연인으로 여생을 마치고자 했던 그였습니다. 그러나 그의 이런 소박한 꿈은 끝내 이뤄지지 못했습니다. 비리에 연루된 측근들이 하나둘 검찰조사를 받고 영어의 몸이 됐습니다. 그것이 전부가 아니었습니다. 피붙이들이 하나둘씩 검찰에 불려갔고, 그 자신 역시 피의자 신분으로 서울로 불려와 조사를 받았습니다. 그가 설 땅은 더 이상 별로 없어 보였습니다.

5월 23일, 토요일 새벽, 그는 고향마을 뒷산 부엉이바위에서 몸을 던져 스스로 목숨을 끊었습니다. 이건 일회용 '뉴스'가 아니라 세계적인 '역사'입니다. 동서고금의 역사를 통털어 봐도 손에 꼽을 일입니다. 하늘이 놀라고 땅이 뒤집힐 일입니다. 그런 비극이 바로 우리 땅에서 벌어졌습니다. 사람들이 받은 충격은 상식을 무참히 깨부수고도 남았습니다.

7일장을 치르는 동안 한반도의 남쪽 절반은 회한의 눈물과 비탄의 통곡소리로 넘쳤습니다. 모두 제 스스로 울고, 제 발로 분향소를 찾았습니다. 추모물결은 계층과 성별, 지역을 넘어 온 나라, 아니 우리 동포가 사는 곳이라면 지구촌 어디라도 예외가 아니었습니다. 여태 이런 눈물바다, 통곡소리는 우리 역사에 없었습니다.

대체 이들의 눈물과 통곡은 어디서 시작된 것일까요? 그 시원始原 은 다름 아닌 바보, '바보 노무현'이었습니다. 온 세상이 똑똑한 사 람들로 넘쳐 나는 요즘 세상에 그는 '바보'를 자처하며 정말 바보 로 살아왔습니다. 질 것이 뻔한 곳에서 출마하고, 눈 한번 찔끔 감 으면 만사가 편안한 길을 마다하였습니다. 돈 안 되는 길, 어려운 길만을 찾아서 갔던 그였습니다. 묻노니, 요즘 세상에 이런 바보가 또 있습니까?

대통령 재임 시절 그의 파격적인 화법과 정치 스타일은 신선한 충격이었습니다. 언제, 어떤 대통령이 평검사를 만나 직접 대화를 했습니까? 그러나 조·중·동 등 수구진영에게는 낯설고 미덥지 못 해 보였습니다. 과거 그들이 봐온 대통령들의 모습과는 사뭇 달랐 기 때문입니다. 게다가 그는 대통령이 돼서도 우리 사회에서는 비 주류였습니다. 그래서 그는 더러 조롱거리가 되기도 했습니다. 그 의 진면목은 그가 죽고 나서야 마침내 드러났습니다. 너무도 인간 적인 대통령이었고, 또 진정한 서민의 벗이었음이.

장례식 날 오후, 한 네티즌은 자신의 블로그에 올린 글에서 노무현 대통령을 이제부터 '님'이라고 부르겠다고 했습니다. 그 '님', 노무현 전 대통령은 이제 우리 곁에 없습니다. 결코 다시는 돌아올 수 없는 먼 길로 그 '님'은 떠나셨습니다. 남은 건 '부끄러운 바보들'의 통곡뿐입니다. 한 줌 재로 돌아간 그는 나고 자란 고향땅에서 영원한 안식에 들어갔습니다.

남은 우리에게는 두 가지 과제가 주어졌습니다. 첫째, 이제는 비탄의 눈물을 거두고 그의 죽음을 성찰해야 합니다. 그가 일생을 걸고 꿈꾸었던 것은 '사람 사는 세상'이었습니다. 지역구도 기반의 낡은 정치문화 타파, 성숙된 민주주의, 중앙-지역간 균형발전, 전쟁 공포가 사라진 평화로운 한반도, 반칙과 특권이 용납되지 않는 사회 건설 등등. 장례 기간 동안 수많은 사람들이 가슴을 쳤던 것은 이런 '꿈'에 대한 좌절 때문이었을 것입니다.

그 꿈을 무참히 짓밟은 세력은 반민주 수구세력들입니다. 행정부와 의회를 장악하고 있는 이명박 정부와 한나라당뿐이 아닙니다. 그의 죽음을 계기로 국민적 지탄의 대상이 된 '정치검찰'과 보수언론을 바꿔야 합니다. 비단 이들만이 아닙니다. 진보진영의 무사안일과 무능도 따져봐야 합니다. 아울러 그간 침묵해온 다수의 일반민중도 반성해야 합니다. 민주주의는 그저 주어지는 것이 아닙니다. 그와 같은 지도자를 제대로 뒷받침하지 못한 민중의 책무가 적지 않습니다.

두 번째, 그의 빈소에서 그와 약속한 것을 되새겨야 할 때입니다. 그의 죽음이 단순히 '가슴 아픈 추억'으로만 기록돼선 안 됩니다. 또 그의 죽음으로 인해 모든 희망이 사라졌다고 포기해서도 안 됩니다. 도리어 그의 죽음을 희망의 씨앗으로 삼아 새로운 개혁의 꽃을 피워내야 합니다, 우선 정치권에서는 제2, 제3의 노무현이 나와 그가 못다 한 개혁의 밭을 일궈 나가야 합니다. 이를 위해 개혁진영은 대동단결로 뭉쳐야 합니다. 민주주의는 선거로 집권하는 제도인 만큼 다가오는 여러 선거들을 위해 진영을 정비해 나가야 합니다.

나아가 이제는 민중이 나서야 할 때입니다. 서민 출신으로, 서민을 사랑했고, 서민의 편에서 일해온 그였습니다. 서민이 나서서 '서민 대통령'의 정신을 계승·실천하는 것은 지극히 자연스럽고 또 마땅한 의무이기도 합니다. 그래서 노사모만이 아닌, 민중의 염원을 담은 '노무현 기념관'이 봉하마을에 세워져야 합니다. 그 길만이 그의 죽음을 헛되지 않게 하는 길이며, 동시에 그를 진정한 '국민 대통령'으로 자리매김하는 길이 될 것입니다.

정운현 ㅣ 태터앤미디어 대표

■차 례

01 ··· 죽어서 영원히 심장에 남은 사람

02 … 꽃이 진들 그가 잊힐 리야

03 ··· 노무현, 그 뜨거운 삶의 기록

4월 중순, 대통령의 사저는 생기를 잃어가면서
때로는 적막감마저 휘감고 돌았다.
그 안에 선 대통령은 유난히 머리가 희여 보였다.
사저를 둘러싸고 형형색색들의 꽃들이 피어나
울적한 대통령을 위로하려 했지만,
대통령의 시야에 드는 것조차 힘겨워 보였다.
특유의 농담이 사라진 지는 이미 오래,
이제는 부산 사투리의 억양마저 없어진 듯
나지막하고도 담담한 대통령의 어조가
서재 밑바닥으로 조용히 가라앉고 있었다.

1

죽어서 영원히
심장에 남은 사람

넥타이를 고르며

옛 임금의 궁성 안뜰에서 열린다
正權과 檢權과 言權에 逝去당한 대통령의 永訣式
죄 없는 죽음을 공모한 자들이
弔問을 명분 삼아
거짓 슬픔의 가면을 쓰고 앉아 지켜보는 그 영결식
그래도 나는 거기 가야만 한다
네 마음속의 대통령과
公式的으로 작별하기 위해서

검정 싱글 정장을 깨끗이 다려두고
넥타이를 고르면서 묻는다
꼭 검은 것이라야 할까
악어의 눈물을 흘리는 자들과 같은 것을 매고서 나는
이 세상에서 단 하나였던 사람
스스로 만든 운명을 짊어지고 떠난 대통령에게
公式的으로 무슨 말을 할 수 있을까

넥타이를 고르며
눈을 감고 꿈을 꾼다

5월 29일 서울시청광장 路祭에서
노란 풍선 백만 개가 하늘 높이 오르는 것을
상식과 원칙이 통하는 나라
사람사는 세상
7년 전 우리가 나누었던 그 간절한 소망이
봄풀처럼 솟구쳐 오르는 것을
시대가 준 운명을 받아안고
그 운명이 이끄는 대로 삶을 마감했던
그이의 넋이 훨훨 날아가는 것을
백만 개의 노란 풍선에 실려
운명 따위는 없는 곳
그저 마음가는 대로 살아도 되는 세상으로

다시 눈을 뜨고
넥타이를 고른다
옷장 한켠에 오래 갇혀 있었던
노랑 넥타이

유시민 | 전 보건복지부 장관

님을 보내며

부엉이바위에서 뛰어내린 님
활짝 웃으며 내 안으로 들어왔어요.
그 자리에
아주 작은 비석 하나 돋았답니다.

나는 거기에 속삭여요.
님은 씩씩하게 살았고
그리고 멋지게 떠나셨지요.
나는 님 덕분에 아주 행복하고
님에게 무척 미안하지만
더는
님 때문에 울지 않을 거예요.

님을 왜 사랑했는지 이젠 말할 필요가 없어서
님을 오래 사랑했던 나는 행복해요.
님을 아프게 했던 정치인이 상주 자리를 지키고
님을 재앙이라 저주했던 언론인이 님의 부활을 축원하니
님을 깊이 사랑했던 나는 행복하지요.
님이 떠나고 나서야 님을 발견한 이들이 슬피 울어주니
님의 죽음까지도 사랑하는 나는 행복하답니다.

노트북 자판을 가만가만 눌러 작별의 글을 적었던
그 마지막 시간의 아픔을 함께 나누지 못해서 미안해요.
살 저미는 고통을 준 자들에게
똑같은 방법으로 복수할 수 없어 분하구요.
나란히 한 시대를 걷는 행운을 누리고도
고맙다는 말 못한 게 마음에 걸리지요.

시간을 붙잡을 수 없으니
이젠 님을 보내드려야 하네요.
노무현 대통령님
사랑합니다.
편안히 가십시오
내 마음 깊은 곳으로.

아주 작은 비석 하나 돋아난 그곳에는
봄마다 진달래 붉게 터지고
새가 울고
아이들이 웃고
청년들이 노래하고
수줍은 님의 미소도 피어나겠지요.
그 흐드러진 꽃무덤에서
다시 만날 때까지
행여 잠결에서도 절대
잊지 않으렵니다.

유시민 | 전 보건복지부 장관

대통령의 외로웠던 봄

1

사저 안마당으로 통하는 작은 대문이 입주한 이래 항상 열려 있던 기억을 지워버릴 정도로 굳게 닫혀 있었다. 뒤편 가운데 위치한 대통령의 서재는 유난히 어둡고 침침해졌고, 남과 북으로 면한 통창의 절반 이상까지 황갈색 블라인드가 내려 있었다. 따스한 온기를 담고 지붕 낮은 집을 찾던 남녘의 햇살은 대문 밖에서 서성이거나 안마당 위의 허공을 맴돌았다. 창문 틈의 그림자까지 잡아채려는 취재진의 렌즈가 내뿜는 날카로운 시선으로부터 사적인 영역을 보호하려는 최소한의 조치가 만들어낸 사저의 분위기였다.

4월 중순, 대통령의 사저는 생기를 잃어가면서 때로는 적막감마저 휘감고 돌았다. 그 안에 선 대통령은 유난히 머리가 희어 보였다. 사저를 둘러싸고 형형색색의 꽃들이 피어나 울적한 대통령을 위로하려 했지만, 대통령의 시야에 드는 것조차 힘겨워 보였다. 특유의 농담이 사라진 지는 이미 오래, 이제는 부산 사투리의 억양마저 없어진 듯 나지막하고도 담담한 대통령의 어조가 서재 밑바닥으로 조용히 가라앉고 있었다.

형님 문제가 불거졌을 때부터 대통령은 지인들의 사저 방문을 적극적으로 만류했다. 대통령의 만류에 많은 참모와 지인들이 발길을 돌렸지만, 2009년 새해 첫 날에는 그래도 적잖은 손님들이 사저를 찾았다.

이어지는 설 명절, 대통령의 만류는 더욱 강해졌고 손님의 숫자는 더욱 줄어들 수밖에 없었다. 그 사이 서울로부터 여러 명이 참모들이 내려오는 일이 있으면 대통령은 주말을 이용해 1박 2일로 다녀갈 것을 주문했다. 긴 외로움으로 생겨난 마음 속 빈자리를 그렇게 해서라도 채워보고 싶었던 것일까?

그리고 4월, 봄이 되면 재개될 것으로 생각했던 방문객 인사는 고사하고 대통령은 오히려 사저 안으로 안으로만 갇힐 수밖에 없었고, 사저를 찾는 손님들의 발길은 더욱 뜸해졌다. 5년 전 탄핵의 봄을 연상시키는 일종의 유폐생활에 대통령의 몸과 마음이 피폐해지고 있었다.

홈페이지 〈사람사는 세상〉에는 위로와 격려의 댓글이 줄을 이었다. 그러나 대통령은 오히려 마음의 부담만이 커지고 있는 듯했다. 원래 사람을 좋아했고, 사람들과 같이 있는 것을 좋아했던 사람이기에 기약 없이 계속되는 혼자만의 시간이 더욱 길었을 법하다. 재임시절 내내 은밀한 독대는 거부하면서 회의실 의자가 동이 나도록 사람들을 불러 모아 이야기하고 싶어 했던 대통령에게 홀로 앉은 텅 빈 서재는 참으로 낯선 풍경이었을 것이다.

끊임없이 연구하고 고뇌하는 캐릭터, 손에서 일을 놓지 못하는 워크홀릭, 대통령은 시간과의 싸움에서 이기기 위해 '진보주의 연구' 등에 대한 생각을 천착하고 다듬어나가는 데 집중하고 있었다.

작업은 예상만큼 빨리 진행되지 않았다. 틈틈이 대통령은 "내가 이 걸 계속할 수 있겠나?" "이렇게 된 내가 이 이야기를 한다 해서 설득력이 있겠나?"라는 회의를 스스로에게 때로는 참모들에게 던지곤 했다.

4월초 어느 날, 대통령을 둘러싼 파란이 시작되기 1주일여 전, 대통령은 구술회의를 마치고 서재를 나서다가 무언가 아쉬움이 남은 듯 출입문 앞에서 갑자기 뒤를 돌아보더니 뜻밖의 이야기를 던졌다.

"내가 글도 안 쓰고 궁리도 안하면 자네들조차도 볼 일이 없어져서 노후가 얼마나 외로워지겠나? 이것도 다 살기 위한 몸부림이다. 이 글이 성공하지 못하면 자네들과도 인연을 접을 수밖에 없다. 이 일이 없으면 나를 찾아올 친구가 누가 있겠는가?"

차마 대답조차 할 수 없는 질문을 남긴 채 서재를 나선 대통령. 그 뒤에서 참모들은 한동안 멍하니 있거나 아니면 뒤돌아서서 소리 없는 눈물을 삼켜야 했다.

2

길고 고독한 시간들. 그 피폐한 시간들 속에서도 서재 안 대통령의 자리 앞에는 언제나 수북이 책들이 놓여 있었다. 대통령은 끊임없이 책과 자료를 찾았다. 책 한 권을 읽고 나면 그 속에서 다시 두 권의 책을 찾았고, 심지어는 외신에 등장하는 기고들도 찾아달라고 요청했다.

독서가 대통령의 문제의식을 더욱 치열하게 하고 생각을 더욱 심화시키고 있었다. 한 가지 주제를 이야기하기 시작하면 끝도 없이 그 주제 속으로 파고들어 애초의 줄거리에서 일탈하는 경우도 한두 번이 아니었다. 예전엔 그다지 흔치 않았던 일이었다. 작은 주제 하나를 이야기하는 데 인용되는 책의 숫자도 기하급수적으로 늘어나고 있었다.

인간의 기원으로부터 유전자, 국가의 기원과 역할, 지나간 우리 역사에 대한 회고에 이르기까지 대통령이 탐구하는 주제와 소재는 방대했다. 방대한 넓이만큼이나 그 천착의 깊이도 땅속으로 끝없이 내려가는 큰 나무의 뿌리와도 같았다.

그렇잖아도 지식의 수준과 양의 측면에서 대통령과의 격차를 느끼던 참모들은 이 시절을 거치면서 그 격차가 더욱 커져가고 있음을 피부로 느낄 수 있었다. 쉽고 편안한 대중적 언어를 구사하는 대통령이었지만, 이미 그 철학과 사상의 깊이는 쉽게 헤아릴 수 없는 경지에 다다르고 있었다. 책을 향한 깊은 몰두를 보며 오죽하면 고시공부할 때 독서대를 개발했을까 하는 생각에 새삼스럽게 미소를 짓기도 했다.

단순히 혼자만을 위한 지적 호기심 충족은 아니었다. 대통령은 자신을 찾는 사람들에게 읽은 책 가운데 의미가 있다고 생각되는 책을 강력히 추천했다. 아니, 직접 수십 권을 구입해서 나눠주곤 했다. 작년에는 폴 크루그먼의 《미래를 말하다》, 최근에는 유럽의 사회보장체제를 설명한 《유러피언 드림》. 대통령은 특히 이 책을 최고의 책으로 평가하고 찬사를 보내며 이런 책을 꼭 한번 써보고 싶다고 말했다. '한국판 유러피언 드림'.

말 잘하는 대통령이란 세평에도 불구하고 대통령은 확실히 말보다 글을 선호했다. 독서를 좋아한 이상으로 글을 잘 쓰고 싶어 했다. 글에 대한 욕심이야말로 대통령의 수많은 욕심 가운데 최대의 것이었다. 사람들과 이야기를 나누다보면 기막힌 카피도 종종 튀어나오고 또 말을 하면서 생각을 정리하는 스타일이었지만, 그래도 대통령은 컴퓨터 앞에 앉아 글로 정리하는 것을 즐겼다.

소박하면서도 서민적인 언어를 구사하다가 수많은 공격을 받아 시달린 경험 탓이었을까? 대통령은 말로써 사람을 설득하기보다는 한 권의 책으로 설득하는 것이 더욱 효율적이고 근본적인 수단이라고 생각했다. 집착 이상의 것이었다. 글을 잘 정리하는 사람을 옆에 앉혀두고서라도 반드시 이루어야겠다는 집념이었다.

대통령은 홈페이지에 카페를 열고 시스템을 만들어 공동창작을 모색했다. 시스템을 만들고 그 안에서 각종의 문제를 제기하고 댓글을 다는 순간, 대통령은 분명 미래를 꿈꾸며 사는 살아 있는 사람이었다. 공동창작 시스템이 뼈대를 갖추던 날, 사저의 모든 비서들이 참으로 오랜만에 대통령의 생기를 느낄 수 있을 정도였으니.

글을 쓰는 것은, 그렇잖아도 약한 허리에 상당한 무리를 주고 있었다. 진퇴양난이었다. 글을 쓰는 것에서 삶의 의미를 찾을수록, 허리를 비롯한 육체의 건강은 악화될 수밖에 없는 상황. 그렇다고 손을 놓자니, 밖으로부터 다가오는 힘겨움과 그 긴 시간들을 무엇으로 극복할 수 있을 것인가? 시간을 이겨내기 위한 책과 글에 대한 집념이 건강을 갉아먹는 악순환의 늪으로 대통령을 서서히 끌어들이고 있었다.

3

2004년 하반기, 9월부터 12월까지 진행된 순방의 강행군은 대통령의 건강을 무력화시켰다. 대통령은 극도로 지쳤고 힘들어하는 기색이 역력했다. 주치의와 진료의는 금연을 강권했다.

돌이켜보면 대통령의 정치역정은 흡연과의 전쟁이었던 셈. 번번이 대통령은 패배했다. 후보 시절의 금연 패치가 그러했고, 이때의 금연도 마찬가지였다. 대통령은 담배를 피우는 손님이 오면 겉으로 드러내지는 못했지만 내심으로 반기는 기색이 역력했다. 그렇게 한두 개비씩 조심스럽게 피우던 담배는 2005년 대연정 제안으로 인한 상처가 깊어지면서 이전의 애연가 수준으로 완전히 회귀하고 말았다.

봉하마을로의 귀향. 어쩌면 그것은 대통령이 금연을 할 수 있는 마지막 기회였는지도 모른다. 대통령은 담배를 피우고 싶은 생각이 들 때만 비서로부터 개비로 제공받는 제한적 공급에 동의했다. 이 방식이 얼마나 담배를 줄이는 데 기여했는지는 알 수 없다. 하지만 그나마의 끽연조차도 작년 말 건강진단 후에는 의료진의 강력한 금연 권고 앞에서 다시 중단될 수밖에 없는 위기에 처했다.

건강은 완벽한 금연을 요구하고 있었지만, 작년 말부터 시작된 상황은 대통령의 손에서 담배가 끊어지는 것을 거의 불가능하게 만들고 있었다. 담배, 어쩌면 그것은 책, 글과 함께 대통령을 지탱해

준 마지막 삼락=樂이었을지도 모르겠다. 마지막 남긴 글에서 말했듯이 책 읽고 글 쓰는 것조차 힘겨워진 상황에서는 대통령이 기댈 수밖에 없는, 유일하지만 허약한 버팀목이 아니었을까? 그러나 담배로는 끝내 태워 날려버릴 수 없었던 힘겨움.

지금이라도 사저의 서재에 들어서면 앞에 놓인 책들을 뒤적이다가 부속실로 통하는 인터폰을 누르며 '담배 한 대 갖다 주게' 하고 말하는 대통령, 잠시 후 배달된 한 개비의 담배를 입에 물고 불을 붙인 채 '어서 오게' 하며 밝은 미소를 짓는 대통령. 이제는 다시 볼 수 없는 그 모습이 영결식을 앞두고 다시금 보고 싶어진다. 미치도록….

윤태영 | 전 청와대 대변인

들찔레꽃 당신, 어려운 길만 골라 갔지요

날은 흐리고 바람도 없는데 찔레꽃 하얀 잎이 소리 없이 지는 오월입니다. 부엉이 바위를 향해 걸어 올라가던 산길에도 찔레꽃은 지고 있었을까요? 야생의 들찔레같이 살다 간 당신을 생각하니 나도 끊었던 담배를 다시 피우고 싶어집니다.

당신은 비록 이 나라의 대통령이었지만 철저한 비주류였습니다. 가난해서 상고를 졸업했던 비주류. 죽어라 공부하면 성공할 수 있다고 믿고 고시에 합격했지만 거기서도 역시 주류는 아니었습니다. 이 나라에는 최루탄 터지는 거리에서 목이 터져라 함성을 지르고 재야로 살아도 거기 역시 주류가 있고 비주류가 있습니다. 야당 국회의원을 해도 주류가 있고 비주류가 있으며, 대통령을 해도 비주류 대통령이 있는 나라에서 우리는 살고 있습니다.

그런 당신이 대통령이 되어 지방군수 출신을 행자부 장관에 임명하고 여성에게 법무부 장관이나 총리를 맡기는 걸 보면서 이 나라 주류들은 속이 많이 상했을 겁니다. 그 자체가 재벌 권력이며 자기가 권력으로 존재하는 것 자체가 존재의 이유인 주류 신문과 맞짱을 뜨려 하는 모습이 가소로웠을 겁니다. 서울만이 아니라 지방도 균형 있게 발전시켜야 한다고 했을 때 중심에 있는 이들은 마땅치 않았을 겁니다. 부자들이 세금을 더 내야 한다고 말하는 걸 보고는 반드시 내쫓지 않으면 안 된다고 확신하였을 겁니다. 틈만 나면 지역중심 정치구조를 혁파하겠다고 하고, 청렴하게 살겠다고 하는 걸 보며 세상을 몰라도 한참 모른다고 비웃었을 겁니다.

속물에 의한, 속물을 위한, 속물의 정치, 스노보크라시가 정치의 본질이라는 걸 현 정권은 얼마나 적나라하게 보여주고 있습니까? 그게 정치이고 그래서 권력을 잡으려고 하는 게 아니냐고 지금 얼마나 리얼하게 보여주고 있습니까? 그런 권력을 당신은 권력기관에 하나씩 돌려주었습니다. 사람들은 그걸 보고 참 바보 같다고 했습니다.

당신은 사회를 민주화하는 일에는 능력을 발휘할 수 있었지만, 경제를 민주화하는 일에는 능력이 부족하여 자유화의 길로 가게 내버려 두면서 현실 정치의 한계를 절감하였을 겁니다. 현실적인 면에서는 그것이 우리 전체의 한계라는 걸 받아들이기보다는 당신에 대한 실망스러움이 더 컸습니다. 현실 정치와 일정한 거리를 둔 자리에 서 있는 나는 관전평이나 하고 편하게 욕이나 하면서 몇 년을 보냈습니다.

전직 대통령을 죽음으로 몰고 간 사회는 분명히 이성적인 사회가 아닙니다. 그러나 주류의 존재의 이유는 합리적이거나 이성적인 사회, 사람답게 사는 세상을 만드는 것 이런 따위가 아닙니다. 그건 정치를 모르는 순진한 비주류들이나 하는 소리입니다. 주류들이 당혹스러워하는 것은 당신이 더 철저히 놀림거리가 되지 않고 눈앞에서 순식간에 사라진 것입니다. 당신을 죽이면 주류 정치인이 다 죽는다는 경험을 탄핵사건 때 한 적이 있어서 잠시 눈치를 보고 있을 것입니다. 그러다 여론의 흐름을 천천히 다른 곳으로 돌리기 시작할 것이고 당신의 모습을 지워버리려고 할 것입니다.

시골로 내려와 농사짓고 동네 뒷산 지키는 환경운동 하면서 평범하게 살고 싶은 꿈을 이루지 못하고 여기서 당신의 생이 끝나고 만 것이 가슴 아픕니다. 이 나라 역사가 잘못되었다면 그것은 주류가 이끌어 왔기 때문입니다. 이 나라 역사에 그래도 덜 부끄러운 기록들이 있다면 그것은 비주류가 목숨을 걸고 저항하며 만들어낸 순간들이 있어서입니다. 당신이 떠난 뒤에도 당신이 추구하고자 했던 가치는 여전히 남아 다른 바보들이 그걸 실현하고자 또 매달리게 될 것입니다.

바보 같은 당신, 당신이 부엉이 바위 근처 어디에서 밤이면 부엉이처럼 눈을 뜨고 어두운 세상을 지켜보고 있으리라 생각합니다. 그래요, 주류들이 모여 있는 국가원수 묘역으로 가지 말고 봉하마을 뒷산에 머무시기 바랍니다. 그게 당신에게 더 어울립니다. 작은 묘비 하나로 있는 게 더 보기 좋습니다. 더러운 땅은 더러운 이들에게 맡기고 영면하시길 바랍니다.

도종환 | 시인

나는 그를 남자로 좋아했다

1

그날은 재수학원 대신 당구장에서 종일을 보내던 중이었다. 청문회가 한창이었지만 그 시절 그 신세의 그 또래에게, 5공의 의미는 쿠션 각에 비할 바가 아니었다. 그러니 그건 순전히 우연이라 하는게 옳겠다. 수구 앞에 섰더니 하필이면 티브이와 정면이었으니까. 사연은 그게 전부였으니까. 웬 새마을운동 읍내 지부장같이 생긴이가 눈에 들어왔다. 그가 누군지 알 리 없어 무심하게 시선을 되돌리는 찰나, 익숙한 얼굴이 스쳤다. 다시 등을 폈다. 어, 정주영이네. 거물이다. 호, 재밌겠다. 타임을 외치고 티브이로 달렸다.

일해 성금의 강제성 여부를 묻는 질의에 "안 주면 재미없을 것 같아" 줬다 답함으로써 스스로를 군사정권의 일방적 피해자로 둔갑시키며 모두에게 공손히 '회장님' 대접을 받고 있던 당대의 거물을, 그 촌뜨기만은 대차게 몰아세우고 있었다. 몇 놈이 터트리는 탄성. "와, 말 잘 한다." 그러나 내게는 답변이 문제가 아니었다. 거대한 경제권력 앞에서 모두가 자세를 낮출 때, 그만은 정면으로 그 힘을 상대하고 있었다. 참으로, 씩씩했다. 그건 가르치거나 흉내로 될일이 아니었다. 그렇게 그를 알았다.

© 사람사는 세상 　　　　　　　　　　　　 대관령 휴양림에서

2

　이후, 난 그를 두 번 만났다. 부산에서 또 실패한 직후인 2000년 봄, 백수가 된 그를 후줄근한 와룡동 사무실에서 만난 게 처음이었다. 낙선 사무실 특유의 적막감 속에 팔꿈치에 힘을 줄 때마다 들썩이는 싸구려 테이블을 사이에 두고, 그와 마주앉았다. 그때 오갔던 말들은 다 잊었다. 아무리 기를 써도 기억나는 건, 담배가 수북했던 모조 크리스털 재떨이, 인스턴트커피의 밍밍한 맛, 그리고 한 문장뿐이다.

　　"역사 앞에서, 목숨을 던질 만하면 던질 수 있지요."

앞뒤 이야기가 뭔지, 왜 그 말이 나왔는지 기억나지 않는다. 내가 그 말을 기억하는 건, 오로지 그의 웃음 때문이다. 정치인들은 누구나 저만의 레토릭이 있다. 난 그런 수사가 싫다. 같잖아서. 저 하나 제대로 건사해도 다행인 게 인간이다. 역사는 무슨. 주제넘게. 너나 잘하서. 그런 속내. 그가 그때 적당히 결연한 표정만 지어줬어도, 그 말도 필시 잊고 말았을 게다. 정치인들은 그런 말을 웃으며 하지 는 법이다. 비장한 자기연출의 타이밍이니까. 그런데 그는 웃으며 그 말을 했다. 그것도 촌뜨기처럼 씩씩하게. 참 희한하게도 그게 정치적 자아도취 따위가 아니라, 있는 그대로의 진심으로 내게 전해진 건, 순전히 그 웃음 때문이었다. 난 그때 그렇게, 그에게 반했다.

두 번째 만남은 그 이듬해 충정로 해양수산부 장관실에서 대선후보 인터뷰로 이뤄졌다. 그 날 대화 역시 잊었다. 기억나는 건 이번엔 진짜 크리스털이었다는 거, 질문은 야박하게 했다는 거―그게 그에게 어울리는 대접이라 여겼다. 사심으로 물렁한 건 꼴불견이니까. 그런 건 그와 어울리지 않으니까―그리고 이 대목이다.

"시오니즘은 국수주의다. 인류공존에 방해가 되는 사고다."

놀랐다. 그 생각이 아니라 그걸 말로 해버렸단 사실에. 정치인은 그렇게 말하지 않는다. 안전하지 않은 건 뭉치고 간다. 그런데 그는 유·불리를 따지지 않았다. 한편으론 그게 현실 정치인에게 득이 되는 것만은 아닌데 하면서도 또 한편으론 통쾌했다. 기면 기고 아니면 아닌 거다. 이런 남자가 내 대통령이면 좋겠다고, 처음 느낀 순간이었다.

그 후 대통령으로 내린 판단 중 지지할 수 없는 결정들, 적지 않았으나 언제나 그를 좋아하지 않을 수 없었던 건, 그래서였다. 그는 내가 아는 한, 가장 씩씩한 남자였다. 스스로에게 당당했고 같은 기준으로 세상을 상대했다. 난 그를 정치인이 아니라, 그렇게 한 사람의 남자로서, 진심으로 좋아했다.

3

그래서 그의 투신을 받아들일 수가 없었다. 가장 시답잖은 자들에게 가장 씩씩한 남자가 당하고 말았다는 것만으로 충분히 억울하건만, 투신이라니. 그게 도무지 받아들여지지 않아 종일 뉴스를 읽고 또 읽었다. 그러다 마지막에 담배 한 대를 찾았다는 대목에서 울컥 눈물이 났다. 에이 씨바… 왜 담배가 하필 그 순간에 없었어. 담배도 없이, 경호원도 없이, 누구도 위로할 수 없는 혼자가 되어, 그렇게 가버렸다. 그 씩씩한 남자를 그렇게 마지막 예도 갖춰주지 못하고 혼자 보내버렸다는 게, 그게 너무 속이 상해 자꾸 눈물이 났다.

그러다 어느 신문이 그의 죽음을 사거라 한 대목을 읽다 웃음이 터졌다. 박정희의 죽음을 서거라 하고 그의 죽음을 사거라 했다. 푸하하. 눈물을 단 채, 웃었다. 그 믿기지 않을 정도의 졸렬함이라니. 그 옹졸함을 그렇게 자백하는 꼴이 가소로워 한참이나 웃었다. 맞다. 니들은 딱 그 정도였지. 그래 니들은 끝까지 그렇게 살다 뒈지겠지. 다행이다. 그리고 고맙다. 거리낌 없이 비웃을 수 있게 해줘서. 한참을 웃고서야 내가 지금 그 수준의 인간들이 주인 행세하는 시대에 살고 있다는 게, 뼛속 깊이 실감났다. 너무 후지다. 너무 후져 내가 이 시대에 속했다는 걸 들키고 싶지 않을 정도로.

4

내가 예외가 없다 믿는 법칙은 단 하나다. 세상에 공짜가 없다는 거. 그가 외롭게 던진 목숨은, 내게 어떻게든 되돌아올 것이다. 그게 축복이 될지 부채가 될지는 나도 모르겠다. 하지만 이것 하나는 분명하다. 그만한 남자는, 내 생애 다시없을 거라는 거.

이제 그를 보낸다.
잘 가요, 촌뜨기 노무현.
남은 세상은, 우리가 어떻게든 해볼게요.

김어준 | 〈딴지일보〉 총수

당신은 '노무현'만큼 살 자신이 있는가

노무현 전 대통령께서 스스로 몸을 던져 돌아가셨다. 그의 투신을 상처받은 명예와 자존심, 자책감 때문만으로 이야기할 수는 없다. 모든 자살은 궁극적으로 그것이 타살이라는 점에서 개인의 절망을 넘어 가장 넓은 의미에서 사회적인—정치·문화·경제·역사적인—함의를 품고 있다. 특히 전직 대통령이야 더욱 그러하다.

역사학자 김기협 씨는 그것을 자기희생이라고 말했다. 맞는 말이다. 그러면 노무현 대통령은 우리에게 무슨 말을 하고 싶었던 것일까? 그것은 어떤 뜻을 가진 희생일까? 그의 짧은 유서 속에서 그것을 짚어보기는 어렵다.

이야기가 길어지겠지만 우회적으로 질문을 풀어가 보자. 그는 특히 조·중·동과 검찰, 그리고 이명박 정부로 대변되는—사실상 그를 죽음으로 몰고 간—극우집단의 증오와 적개심의 대상이었다. 왜 이들은 그토록 노무현 대통령, 그리고 노무현으로 대변되는 (실제와 부합하는가와 관계없이) 이들의 표현에 따르면 '좌파 빨갱이'들을 증오했을까? 이 물음에 대한 답에서 그의 통절한 죽음이 가진 의미를 찾아볼 수 있을 것이다.

노무현을 향한 증오와 적개심

김갑수 씨가 〈오마이뉴스〉에 쓴 기사를 잠시 인용해보자.

이명박 대통령은 말로는 전직 대통령을 예우하겠다고 해 놓고 국가기록물 건으로 그를 고발했다. 홍준표 전 한나라당 원내대표는 "노무현은 전두환보다 더 나쁘다"고 말했다. 〈중앙일보〉의 한 칼럼니스트는 "박연차의 돈은 똥인데, 똥을 먹은 노무현"이라는 제하의 글을 쓰기도 했다. 〈조선일보〉의 논설고문은 "노씨, 까불다가 당하는 것"이라고 말했다. 소환 직후 "노 전 대통령에 대한 수사는 더 이상 없다"고 했던 검찰은 다시 권양숙 여사와 딸 정연 씨 등을 부르며 집요하게 파고들었다. 검찰은 "권양숙 여사가 박연차 회장에게 선물로 받은 명품시계를 논두렁에 버렸다"는 이야기를 언론에 흘렸다. 〈조선일보〉는 노 전 대통령의 딸 정연 씨의 미국 주택을 호화주택이라고 단정하면서 다시 노무현 공격을 시도했다. 〈연합뉴스〉는 노 전 대통령이 대형 비리가 드러날 것 같으니까 죽음을 택했을 수도 있다는 식의 기사를 내놓고 있다. 한편 연세대학교의 교수를 지냈다는 김동길 씨는 그에게 "뇌물을 먹었으니 자살하라"는 망발까지 서슴지 않았다.

권력에 대한 욕망

이들이 가진 이 도저한 증오와 적개심의 원천은 무엇일까? 가장 일반적으로 생각할 수 있는 것은 기득권 세력들의 열패감과 분노이다. 지역적 기반도 없는 고졸짜리가 대통령이 되었다는 것에 대한 정치 기득권 세력, 'SKY 대학'으로 상징되는 학벌 기득권 세력,

조·중·동으로 대표되는 언론 기득권 세력의 열패감과 분노. 기득 권과는 한참 거리가 먼 노무현 대통령은 이들에게 참으로 쉬운 노 리갯감이었고, 그렇기 때문에 그에 대해 더욱 쉽게 증오와 적개심 을 표시할 수 있었다. 그에 대한 증오와 적개심이 특히 표독스럽고 잔인한 것도 이 때문일 것이다.

두 번째는 이들이 가진 권력에의 욕망이다. '잃어버린 10년'이라 는 표현이 상징하는 것은 보수세력이 가지고 있는 권력에의 광적인 욕망 그것 이하도 이상도 아니다. 그런데 그것을 빼앗겼다는 사실 에 대한 분노가 김대중 대통령까지 포함하여 노무현 대통령으로 상 징되는 비주류에 대한 증오와 적개심으로 나타난다. 이들은 자신을 정당화하기 위해 상대방을 불온한 존재, 위험한 존재, 혐오스러운 존재―그들의 표현대로 하면 좌파 빨갱이들―등으로 선전한다. 폭 력적 배제의 정치를 구축하는 것이다. 폭력적 배제의 정치를 낳는 권력에의 욕망이 바로 이들이 가진 증오와 적개심의 원천이다.

세 번째는 인간에 대한 예의를 모르기 때문이다. 품격을 갖추지 못한 비판은 독설로 이어지면서 아주 쉽게 증오와 적개심을 드러내 게 된다. 인간적 품위를 제대로 갖추지 못했다는 것뿐 아니라 대한 민국 보수집단이 가진 특징 중 하나는 이성적 사고능력이 매우 취 약하다는 것이다. 더군다나 이들에게는 관용과 절제와 같은 덕목도 부족하기 짝이 없다. 이 때문에 노무현 대통령에 대한 비판이라고 이들이 내세우는 것들이 실상은 매우 저급한 수준의 비난 아니면 독기 어린 증오와 적개심이었던 것이다.

불안과 초조

말할 나위 없이 이들이 가진 증오와 적개심은 노무현 대통령 개인에 대한 것만은 아니다. 사실 여부와 관계없이, 때로는 아니라고 하는데도, 이들에게 노무현은 보수세력과 이명박 정부를 반대·비판하는 단체와 개인을 대표하는 하나의 상징이었다. 따라서 그에 대한 증오와 적개심은 보수세력을 반대·비판하는 단체와 개인 모두를 대상으로 하고 있다.

왜 그럴까? 짐작해볼 수 있는 것은 이들이 자신들의 목표, 즉 약탈국가의 과제를 시급히 달성해야 한다는 초조감, 또 제대로 달성하지 못할 것 같은 불안감에 사로잡혀 있기 때문이다. 당연히 자신들의 길을 막는, 또는 막는 것으로 보이는 단체와 개인은 증오와 적개심의 대상이 된다.

약탈국가란 무엇인가? 사적 이익을 위해 공적 기구를 조직적으로 오·남용하는 행위, 다른 말로 하면 특정 집단의 이익을 위해 공공적 보호·규제 장치를 훼손시키는 행위를 일삼는 정부를 지칭한다. 약탈국가는 겉으로는 시장의 자유를 위해 규제를 철폐하거나 최소화해야 한다고 하지만 실제로는 해체된 규제, 약화된 규제의 틈새를 이용해 특정 집단에 특혜를 부여하는, 즉 공공의 영역과 시장을 동시에 약탈하는 존재이다.

그 결과는 이렇게 드러난다.

"경기 침체의 영향으로 빈부격차가 사상 최대로 벌어졌다. 서민들은 실업, 파산 등으로 소득이 갈수록 줄고 있지만 고소득층은 주식이나 부동산 등의 가격이 오르며 자산이 늘었기 때문이다. 21일 기획재정부와 통계청에 따르면 지난해 도시가구(1인 및 농가 제외)의 지니계수는 0.325로 지난 2007년(0.324)보다 0.001포인트 상승했다. 이는 통계청이 관련 집계를 시작한 1990년 이후 최고 치다. 국제 교류가 늘어날수록 지니계수가 오르는 것을 감안하 면 사실상 최고치인 셈이다."

― 〈파이낸셜타임스〉, 2009년 5월 21일

일부 부유층과 (대)기업 도우미 정부로서 이명박 정부의 목표수 행 시간은 5년이다. 주어진 5년 시간 내에 그들에게 줄 수 있는 것 을 (물론 자신들의 정치적 몫도 포함하여) 최대한 주려면 장애물이 없어야 한다. 그래서 정치가 실종된다. 그들이 정치를 혐오하는 이 유는 정치가 조성해내는 균열과 그로 인한 목표 실천의 지체와 장 애 때문이다. 같은 이유로 이들은 비판집단을 용납하지 않는다. 이 과정에서 빚어지는 온갖 모순과 문제와 갈등에 대해서는 관료기구 와 사법기구를 동원, 최대한 억압한다.

지금 대한민국의 경찰, 검찰, 법원 등은 이명박 정부가 이런 약탈 국가적 역할을 수행하는 데 지장이 없도록 법과 무력을 동원하는 용역 구사대 수준의 기관이다. 조·중·동 같은 신문은 이명박 정부 의 홍보실 정도의 역할을 수행한다. 사실 이명박 정부를 정부라고 할 수 있는지도 의문이다. 대통령이 기업의 사장 수준으로 생각하 고 그런 방식으로 이끌어 가면서 청와대는 기획조정실, 정부 각 부 처는 기업 영업부 내지 현장 사무소 정도로 보인다. 국회는 이 기업의 이사회쯤 된다. 대한민국의 다른 기업들은 이 대기업의 하청업체라고 할 수 있다. 국민은 대체로 이 기업의 말단 직원 정도로 간주된다. 감히 반발하는 말단에 경영진이 분노하는 것이다.

공포심

보수세력이 품고 있는 증오와 적개심의 대상이 노무현을 넘어 그들을 반대·비판하는 집단과 개인 일반을 향한 것이라면 이것은 또 좀더 깊은 역사적 맥락에서도 짚어보아야 한다.

20세기 이후 지금까지 100여 년이 넘도록 대한민국을 지배하고 있는 보수 기득권 세력은 대체로 처벌되지 않은 역사의 범죄자들이다. 따라서 역사에 대해 깊은 공포심을 가지고 있다. 이 때문에 교과서를 바꾸고 친일과 독재와 부패의 역사를 고쳐 쓰고자 한다. 당연히 자신들과 다른 역사를 기록하려는 노력에 대해 알레르기적인 증오와 적개심을 내보이게 된다. 공포심의 다른 얼굴인 것이다.

시계를 돌려보자. 20세기 전반기 한국의 역사는 일본의 식민지 경험과 해방, 그리고 전쟁으로 구성된다. 식민지 경험의 요체는 무엇일까? 그것은 극심한 수탈과 억압의 고통, 그리고 해방에의 희망과 염원이다. 그런데 정작 해방은 되었으나 친일분자들이 지배세력으로 다시 등장했다. 있을 수 없는 일이 일어난 것이다. 수탈과 억압은 끊어지지 않았고 희망은 곧 절망과 분노로 이어졌다. 곧바로 전쟁이 터졌다. 300만 명이 넘는 사람이 죽어나가는 끔찍한 전쟁의 참화를 겪었다. 슬픔과 원한이 하늘을 찔렀다.

그러나 우리의 역사를 얽매온 수탈과 억압, 분노와 좌절, 슬픔과 원한을 대한민국의 지배계급은 거의 풀려고 하지 않았다. 그 사이 약탈의 역사는 바로 가까이에서 지금도 진행되고 있고, 약탈뿐 아니라 죽음도 끊이지 않는다. 불과 30여 년 전에 광주에서 숱한 사람들이 죽어나갔고, 바로 얼마 전에는 용산에서도 사람들이 죽었다. 노동자들의 죽음은 그저 흔한 일이 되고 말았다. 지배세력은 반공법이니 국가보안법이니 간첩이니 혁명세력이니 외부불순분자니 하는 굴레를 만들어내면서 신원伸寃은 막고 슬픔과 원한을 더욱 키워나갔다. 죽음은 그것이 어떤 것이든 신원되어야 하지만 저승으로 가지 못한 망자들은 중음신中陰神이 되어 구천을 떠돌고 있었고, 산자들은 맺힌 원한으로 깊고 깊은 속앓이를 할 뿐이었다.

지배계급은 이런 아픔을 풀려고 하는 사람들을 오히려 감옥으로 보냈으며, 지금도 이는 그대로 이어지고 있다.

"정부는 20일 세종로 청사에서 국무총리 주재로 관계 장관회의를 열고, 불법 폭력 시위에 대한 엄정 대처 방침과 함께 대응책을 논의했다. 한승수 총리 주재로 열린 이날 회의에는 교육과학기술부, 법무부, 행정안전부, 문화체육관광부, 노동부, 국토해양부 장관과 경찰청장, 청와대 치안비서관 등이 참석했다. 이번 회의는 이명박 대통령이 지난 19일 국무회의를 주재하면서 '죽창 시위가 해외에 보도되면서 우리나라의 국가 브랜드가 크게 훼손됐다. 여전히 과격 폭력 시위가 벌어지고 있는 것은 안타까운 일이다' 며 처벌을 지시한 데 따른 것이다."

― 〈헤럴드경제〉, 2009년 5월 20일

역사의 범죄자가 가지는 공포심 속에서 이들의 증오와 적개심은 더욱 단단하게 굳어진다.

야만의 사회와 역사

권력에 대한 저급한 욕구, 약탈의 목표달성에 대한 불안감과 초조함, 역사에 대한 공포심. 노무현 대통령과 노무현으로 상징되는 집단에 대해 대한민국의 보수세력이 품고 있는 증오와 적개심의 실체가 이렇다면 그것은 무슨 뜻일까?

첫째는 대한민국 사회와 역사의 강요된 천박성이다. 역사는 그것이 어떤 것이든 천박하지 않다. 그렇게 만드는 집단이 있을 뿐이다. 아닌 게 아니라 100여 년이 넘는 긴 근대사의 공간과 시간 속에서 대한민국의 구성원들은 인간적 품위에 대해 거의 학습 받지 못했고 또 제대로 경험하지도 못했다. 해방이 되고 이른바 민주공화국이 수립되었지만 민주주의와 시민적 덕목에 대해 그 누구도 제대로 가르쳐주지 않았고, 그 누구도 그것을 제대로 익히려 하지 않았다. 역사를 학습해야 하는 이유도, 경제정의가 민주주의의 근본이라는 것도 잘 이해하지 못했다. 기득권자들이 가진 권력에 대한 저급한 욕구와 그것을 끝끝내 유지하려는 야만성이 한국의 정치와 사회를 좌우하는 이유도 여기에 있다.

둘째는 대한민국이라는 나라를 밀고 나아가는 근본 동력이 무엇인가를 다시 물어보아야 한다는 것이다. 자유, 민주, 평화, 통일, 정의, 평등, 진리, 박애, 공화국과 같은 덕목은 한국에서 대체로 허상이다. 한국의 원동력은 '잘 살아보세'이다. 돈만 벌면 다른 문제는

다 해결할 수 있다고 믿는다. 그것이 많은 사람들이 이명박 씨를 믿고 그를 대통령으로 뽑은 이유이고, 한나라당 국회의원들을 뽑은 이유이다. 잘 되지도 않지만 어쨌든 큰돈, 작은돈 벌어가면서 악착같이 사는 사이, 우리는 잘 산다는 것이 무엇을 말하는 것인지 제대로 배우지 못했다. 잘 사는 것이 어떻게 사는 것인지에 대해 정확하게 가르쳐주는 사람도 별반 없다. 그것이 무슨 뜻인지 꼼꼼하게 따지고 비판적으로 바라보는 사람들도 많지 않다. 그 결과 부메랑이 되어 돌아오고 있는 것은 피폐하고 살벌한 사회이다.

셋째는 아직도 대한민국은 수탈과 억압, 분노와 좌절, 슬픔과 원한의 역사를 해소하지 못하고 있다는 점이다. 오히려 더 강하게 지속되고 있다. 이 때문에 한국사회는 공통의 신념과 목표를 갖추기가 극히 어렵고, 그 때문에 나라의 미래를 펼쳐가고자 하는 노력을 제대로 결집하기도 어렵다. 일제강점기를 칭송하는 노래가 더 크게 울린다. '잘 살아보세'를 믿고 실로 눈물겹게 노력했으나 적절한 대접도 받지 못한 채 대한민국의 많은 사람들은 또 다시 약탈과 배신과 죽음에 시달리고 있다. 한편 주식회사 대한민국의 경영진과 간부들은 일부 부유층과 (대)기업을 위한 약탈과 억압에 매진하고 있다. 그리고 그 와중에 지배계급의 마름이 되어 국가와 사회의 도덕과 정신을 타락시키는 극우꼴통들이 활개치고 있다.

대통령의 죽음

노무현 대통령의 죽음은 이처럼 야만의 지배체제에서 아직 고통받고 있는 대한민국의 사회와 역사가 만들어낸 커다란 비극이다.

그 비극에서 우리가 돌아보아야 할 것은 바로 그 사회와 역사이다. 생각건대 한국 사회에 지금까지도 관철되고 있는 수탈과 억압, 분노와 좌절, 슬픔과 원한의 역사는 뒤집어 말하면 영광스러운 구원의 기록이라고도 할 수 있다. 그러나 그 기록은 지배계급의 억압으로 인해 아직도 가능성으로만 남아 있을 뿐이다.

그 가능성을 향해 나아가는 것. 그것이 노무현 대통령의 투신에서 우리가 발견해야 할 뜻일 것이다. 그것은 구체적으로 무엇을 말하는가? 가장 깊은 의미에서 그것은 인간의 인간다움, 즉 인격적 완성체를 지향하는, 불가능하지만 그러나 버릴 수 없는 인간의 영웅적 가능성을 향한 걸음걸음을 의미한다. 그것이 새로운 역사와 사회의 가능성을 세상 속에서 실천하고자 하는 시민의 덕목이다. 그러면 우리는 그러한 뜻을 공유할 자세를 갖추고 있는가?

> "양 무릎과 팔꿈치, 이마 등 신체의 다섯 부위를 땅에 대고 절하는 오체투지가 생각보다 너무 힘들었고, 몸도 아팠지만, 아스팔트에서 나는 냄새를 참기도 쉽지 않았다고 하셨다. 그런데 가장 힘들었던 것은 사람들의 말이었다고 했다. 도로 복잡하게 한다면서 욕을 해대는 사람도 있고, 저렇게 쓸데없는 것은 왜 하냐면서 비아냥거리는 사람, 이러한 말을 들으면서 슬프셨고, 얼굴에 핏대를 올리면서 비판하는 모습이 추해보였다고 하셨다."

— 〈오마이뉴스〉, 2009년 5월 21일

김평호 | 단국대학교 언론영상학부 교수

누가 노무현을 죽였나

– 한국의 보수와 '머슴' 노무현

10년도 더 된 것 같다. 파업에 들어간 서울시 택시기사들이 잠실 교통회관에서 노조회의를 할 때다. 이때 자기 회사 기사들을 만나야겠다던 한 사장이 노조원들의 저지선을 뚫고 들어가려다 결국 실패하자 분을 못 이겨 내뱉은 말이다.

"옛날 같았으면 머슴살이나 할 놈들이…."

2000년 프로야구 선수들이 선수협의회를 만들려 할 때다. 한 구단 선수들이 어느 고깃집에서 모임을 갖는다는 소식이 알려지자 구단 사장이 직원들을 대동하고 들이닥쳤다. 그러나 홀을 지키고 있던 팬클럽이 사장 일행을 막아서는 바람에 사장은 방에 있던 선수들을 만나지 못했다. 역시 분을 못 이겨 씩씩 거리며 한마디 내뱉는다. 방송카메라 앞에서 마치 들으라는 듯 당당하게 말이다.

"지들 월급 주는 게 누군데…."

이게 바로 한국의 '가진 자'들의 모습이고 이들이 '가지지 못한 자'들을 보는 시각이다. 마치 거지 아니면 머슴 보듯 한다. 그래서 이들 가진 자들은 마치 자기가 무슨 큰 은혜라도 베푸는 걸로 착각한다. 자기가 이들을 먹여 살린다고 생각한다. 실상은 그들 덕에 자기가 먹고 산다는 생각을 하지 못한다. 그들로 인해 자기가 존재한다는 사실을 모른다.

'씨' 가 달랐던 노무현

지난 6년간 많은 사례가 증명했듯 한국의 기득권집단은 노무현을 대통령으로 인정하지 않았다. 이들은 DJ도 대통령으로는 마음에 들지는 않았지만 극우로 꼽히는 JP와 연합을 하는 바람에 속은 쓰려도 참아야 했고 무엇보다 YS가 대통령을 한 번 했으니 YS와 한국 근대사의 쌍벽이었던 그의 집권을 그냥 체념하고 넘어가야 했다.

그러나 노무현의 경우는 달랐다. 노무현은 참을 수 없었다. 노무현은 기존 한국의 정치질서인 파벌을 좇지도 않았고 초선 의원 주제에 청문회에서 전두환과 정주영에겐 '막' 했던 장돌뱅이 같은 정치인이었다. 인권변호사 한답시고 노동자들하고 어울려 다니던 사람이다. 대학? 상고 나왔단다. 고향? TK는 당연히 아니고 PK라 하기에도 떨떠름한 김해 하고도 봉하마을이라는 촌구석이란다. 이들의 눈에 노무현은 '머슴'쯤 했어야 할 사람이었다.

DJ는 DJP연합을 통해 보수층을 안심시켰지만 노무현은 대선 전날 한국 최대 재벌의 수장 중 한 명인 정몽준과 (정몽준 스스로 분을 못 이겨 뛰쳐나간 거지만) 결별했다. 그럼에도 인터넷, 휴대폰을 통한 '한밤의 돌풍'을 일으킴으로써 DJ에게 당한 패배를 설욕하기 위해 다시 나섰던 이회창을 또 다시 패퇴시키며 대통령 자리에 올랐다. 경기고, 서울법대를 나온 한국 보수의 적자 이회창이 '상고 출신' 노무현에게 패배하고 눈물을 흘리며 정계은퇴를 선언하는 모습은 보수의 치욕이었다. 또 보수의 원천이자 생명수와도 같은 조·중·동, 검찰, 서울대와 감히 맞서고 보수의 집성촌과도 같은 강남마저 건들겠다고 나서는 그를 받아들일 수 없었다. 자신들에게 고개 쳐들고 두 눈 똑바로 뜨고 대드는 그를 도저히 인정할 수 없었다.

'노무현 무시'의 백미는 전여옥이 했던 "대통령은 대학 나와야" 발언이다. 아무리 머리 독특한 전여옥이지만 얼마나 노무현이 미웠으면 대학 나오지 못한 수천만의 가슴에 대못을 박을 각오로 그런 술 취한 시정잡배 같은 소리를 했을까. 정말 많은 사람들이 그를 미워했다. 아니 무시했다.

5월 26일자 〈한국일보〉 이성철 경제부 차장의 칼럼은 '노무현 미워하기'의 몰이성적 측면을 잘 짚었다. 노무현은 특별히 기업에 손해되는 정책을 내놓은 적도, 규제를 양산한 적도 없고 유별나게 노동자 편을 든 적도 없다. 오히려 선거 때면 기업인들이 해외로 도망갈 정도로 노골적 강요가 심했던 정치자금 압박에서 자유롭게 해줬으니 고마워해야 할 것이었다. 경제도 나름 잘 굴러갔다. 그럼에도 기업인들은 노무현을 미워했다. 그래서 한 기업인에게 그 이유를 물으니 똑 부러지는 대답을 못하더라는 것이다.

"딱히 이거다 할 것은 없어요. 그냥 반기업적 태도랄까, 아님 언행이랄까 뭐 그런 것들…."

그가 추구했던 것은 불합리와 부조리의 제거였고 불공정한 게임을 하는 권력을 허물고자 했다. 간단했다. 페어플레이 하자는 것뿐이었다. 그리고 지방사람들도 사람이니 좀 나눠먹으라는 것이었다. 그러나 이 땅의 주류에겐 이런 상식도 통하지 않았다. 그렇다. 이 땅의 기득권집단에게 노무현의 정책이나 업적은 중요한 게 아니었다. 그냥 깡촌구석에서 태어나 상고 나오고 사법연수원 시절엔 점심 같이 먹을 친구도 없던 그가 '그 자리'에 있는 것이 지독하게 못마땅했던 것이다. 내가 '저 놈' 상전인데 '저 놈'이 내 상전 노릇을 하니 배알이 뒤틀린 것이다.

한풀이 정치 비난하더니 노무현에게 한풀이한 보수

노무현은 퇴임했지만 보수는 그것마저 배알이 뒤틀렸다. 우리나라 현대사에서 노무현처럼 퇴임한 대통령이 있었던가. 고향으로 돌아가 만 명이 넘는 주민들 앞에서 "야~ 기분 좋다"고 외친 대통령이 있었던가. 단 한 명도 없다. 김영삼, 김대중도 임기 말에는 자식들이 구속되는 망신을 당한 후 식물대통령으로 청와대에서 퇴임할 날만 세다가 조용히 나와야 했다. 또 사람들이 집앞에 몰려와 "대통령님~" 하고 부르면 나와서 같이 깔깔대며 이야기하는 대통령이 또 있었나. 꿈에나. 그 웃는 얼굴을, 좋아하는 '꼴'을 그냥 놔두고 볼 수가 없었다.

보수는 복수에 나선다. 그는 파렴치하다는 걸 보여주기로 작정했다. 원래 대통령이 될 인물이 아니었다는 걸 국민들에게 보여줘야 했다. 저런 '놈'은 대통령이 돼서는 안 될 '놈'이었다는 걸 알려야 했다. 상고 나온 촌놈이 대통령이 되자 눈이 뒤집어졌고 그 가족도 원래 없이 살던 사람들이 이런 부귀영화를 맛보니 분수도 모르고 설쳐댄 집안으로 만들어야 했다. 자기들한테 대들면 어떤 결과를 보게 되는지 '학실히' 가르쳐야 한다. 그래서 주리를 틀기로 했다. 그리고 그 모습을 이 땅의 모든 '머슴'들에게 보여야 했다.

그리고 중앙의 보수는 지역의 토착 보수들에게도 뜨거운 맛을 보여줘야 할 필요성을 느꼈다. 이참에 같이 손보기로 했다. 그래서 '중수부'라는 칼잡이들을 거느린 중앙의 보수는 지방의 기업인들에게 '아무나' 후원하면 '이렇게' 된다는 걸 확실히 보여줬다. 또 촌에서 돈 좀 벌었다고, 대통령 좀 안다고 중앙의 재벌 오너들이랑 맞먹으려 했던 시골 기업가들을 특히 본보기로 감옥에 집어넣어 까불면 어떻게 되는지 제대로 보여줬다.

고삐 풀린 검찰은 '하나만 팬다'는 자세로 여기에만 매달리며 노무현이 (말 그대로) 죽을 때까지 물어뜯었다. 보수언론들은 마치 '노무현 씹기'의 역사적 사명을 띠고 이 땅에 태어난 듯 이에 매진했다. 물론 국민도 이 거국적 분위기에 동참했다. 그러면서 이들 기득권집단은 무엇보다 대통령 같은 자리는 자기네처럼 원래부터 학벌 좋고 집안도 좋은 사람만이 해야 한다는 걸 부지불식간 국민에게 느끼게 해주려 했다.

혹자는 노무현이 정치 재개 조짐을 보여서 청와대가 이를 주저앉히려고 검찰을 내달리게 했다는데 나는 그렇게 보지 않는다. 주저앉히는 건 그 부수물일 뿐이고 노무현에게 '한풀이'를 한 것이다. 참여정부가 한풀이 정치를 한다고 비난했던 보수는 정작 자기네가 정권을 잡자 노무현 개인에게 한풀이 폭탄을 쏟아 부은 것이다.

자기들끼리 정치보복했던 보수

이렇듯 우리나라의 보수는 남 잘 되는 꼴을 못 본다. 그것이 특히 미천한 집안 출신이라면 더욱 그러하다. 그리고 꼭 보복한다. 우리나라 정치보복의 역사를 보라. 누가 보복했나. 꼭 가진 자들이 보복했다. 전임 대통령들 유배 보내고 감옥에 보낸 게 누군가. 노태우는 후계자로 낙점 받기 위해 전두환에게 충성맹세하고 큰절까지 했지만 대통령이 되자마자 표변해 40년 친구이자 전임 대통령 전두환을 망신 주고 백담사로 유배 보내버렸다. 그 후임 김영삼 역시 전두환은 물론 자신의 정치적 야합의 동지였던 노태우를 모두 감옥으로 보내버렸다.(영남사람들 꼭 어디 사람들 욕할 때 배신 잘 한다 하던데 '배신의 정수'는 어디가 더 많이 보여줬는지 생각해보시라.)

한국사회의 비주류였던 김대중, 노무현은 오히려 그런 짓 안 했다. 정권 출범 후 힘겨루기 하다가 전임자들의 수족 중 몇 명은 감옥으로 보내기도 했지만 전임 대통령은 건드리지 않았다. 그런데 이제 보수가 다시 정권을 잡으니까 제 버릇 남 못 주고 또 '보복질'이다. 노무현은 '씨'가 달랐기에 더 심하게 당했다. 우리나라 정치보복의 역사는 보수가 지들끼리 서로 돌아가며 보복했던 역사다. 그러니까 말이다, 우리가 말하는 퇴임 후 불행한 대통령의 역사는 사실은 민정당에서 이어져 내려온 한나라당, 즉 영남당의 역사다. 역시 가진 놈들이 더하다.

이 마당에 역시 보수의 '입'들이 등장한다. 김동길, 조갑제, 김진홍 같은 원로에 이어 요 며칠 새 '변든보'라는 애칭으로 불리는 젊은 친구까지 나서서 노무현을 '부관참시'하려 하고 있다. 이게 바로 우리 보수의 과거, 현재, 미래다. 우리 사회가 왜 화합이 안 되겠나. 바로 이런 인물들 때문이다. 게다가 〈중앙일보〉 문창극 대기자는 "그의 죽음으로 우리의 분열을 끝내자고 제안"한단다. 갈등의 종지부를 찍잔다. 그를 사랑한다면 그럴 의무가 있단다. 나는 노무현 재임 기간 문창극 대기자가 노무현에 대해 어떻게 썼는지 잘 기억하고 있다. 그러던 자가 나서서 분열을 끝내자고 한다. 다른 신문도 아니고 〈중앙일보〉의, 그것도 문창극이 말이다. 모욕 주고 두들겨 패고 난도질하고 나서 '어! 좀 심했나?' 싶으니까 화해하잖다. 이렇게 비겁한 자들이 우리의 보수다.

보수는 이렇듯 노무현을 대통령 취급은커녕 인간 취급도 안 했지만 실상은 어땠는가. 그는 얼마나 '나쁜' 대통령이었을까. 그는 재임 기간 국민들에게 골고루 선물을 주려 했다. 서민대통령의 기치로 당선됐지만 그 자리에 있으면 그게 그런 게 아니었다. 수도 이전과 지역균형발전은 절반에 달하는 지방의 국민들을 위해, 이라크 파병과 한미FTA는 친미주의자, 기업인, 중산층을 위해 욕 먹어가며 했다. 이상호 기자의 X파일 사건도 있었지만 삼성도 무사했고 〈중앙일보〉 홍석현 회장을 주미대사에 임명했다. 사실 그가 어느 '한쪽'을 정하지 않은 게 문제라면 문제였다.

'똘레랑스 제로'의 우리나라 보수

원래 '관용'이란 말은 힘을 가진 자들이 받아들여야 하고 그들의 가치가 되어야 한다. 그러나 우리 사회 기득권을 가진 권력집단은 그러한 관용에 관심이 없다. 항상 법을 외치면서 자기들은 그 법을 요리조리 빠져 나간다. 아니, 그냥 만들고 바꿔버린다. 종합부동산세 폐지를 보라. 정치인, 공직자, 법조인들이 자기들끼리 합심해서 뚝딱 바꿔버리고 스스로에게 환불까지 하지 않았던가. 후진국 말고 외국에 이런 보수 봤는가. 관용은 오히려 우리 사회 비주류와 소수자와 약자들에게서 더 많이 보는 게 우리 사회다.

우리 보수는 그릇도 작다. 노무현의 자살 소식을 들은 이명박 대통령은 "전직 대통령으로서의 예우를 다하라"고 했지만 실상이 그러한가. 추모도 못하게 한다. 그리고 서울시청앞 광장은 절대로 내주지 않는다. 그 광장 누가 만들었나. 자기가 만들었다면 더더욱 고인에 대한 예우로 그 장소를 기꺼이 내주어야 한 나라의 어른다운 행동이다. 그러나 이명박은 그 '꼴'을 못 본다. 하긴 겁은 되게 먹었나 보다.

게다가 절대로 놓으려 하지도 않는다. 우리 보수를 이야기할 때 그의 형 이상득 의원을 꼭 이야기해야 한다. 동생이 대통령이 됐는데도 물러날 줄을 모르는 사람이다. 동생이 대권을 잡았으니 이제부터 '제대로' 권력을 휘둘러보겠다는 심산이다. 이런 사람을 두고 철면피라 한다. 그의 나이 몇 살? 일흔넷이다, 일흔넷. 그러고도 끝끝내 버티고 앉아 혼자 기분 내고 있다. 그걸 보고도 가만히 있는 게 우리의 보수다.

그럼 이제까진 우리 보수의 과거와 현재라 치고 그렇다면 미래 보수는 밝을까. 마침 신문에서 우리 보수의 미래를 엿보게 하는 기사를 접했다. 정용진 신세계 부사장이 독일에서 가진 기자회견에서 앞으로의 사업계획을 밝혔다. 신세계를 물려받을 이 마흔한 살의 젊은 사업가는 다름 아닌 이병철의 손자다. 그런 그가 밝힌 사업계획을 보며 나는 한숨이 절로 나왔다.

보수도 수입해야 하나

신세계가 올해 SSMsuper supermarket이라 부르는 소형점포 30~40개를 전국 골목골목에 만들겠다고 한다. 지난달 신세계는 세 개만 만들겠다고 했는데 직접 나서서 밀어붙이는 모양이다. "대기업이 골목 상권까지 싹쓸이하려 한다"는 영세상인들의 반발에 대해선 "우리는 중소상인보다는 고객을 먼저 생각한다"고, 중소상인은 "우리의 우선과제는 아니"라고 말하며 이들의 반발에 대해 확고한 소신을 보였다고 한다.

그는 또 "(영세상인들은) 배달이나 가격 인하, 연합 상품 매입 등 방법 등에 대해 노력해야 한다"면서 "무작정 대형 마트를 저지하기보다는 소상공인 스스로 어떻게 고객들을 위해 발전할 수 있을지를 고민해야 한다고 본다"고 친절한 충고까지 곁들였다. 그는 영세상인들이 왜 '영세'할 수밖에 없는지 모르는 것 같다. 아마 영세상인들도 신세계처럼 시장조사부서나 R&D 파트가 있는 줄 아나 보다.

이게 우리 보수의 미래다. 한국사회 최대 재벌 패밀리의 3세대 맏형이라는 사람이, 미국의 명문 브라운대를 졸업한 저 멀끔하고 허우대 좋은 젊은 기업가, 역사상 가장 존경받는 기업가 이병철의 손자가, 이 세상 모든 것을 다 가진 젊은이가(결국 이혼했지만 미스코리아와 결혼해 유명세를 타기도 했다) 기껏 기자들 앞에서 미래 사업포부랍시고 동네 슈퍼마켓장사 하겠다면서 동네 영세상인들은 신경 안 쓴단다. 그러곤 그들더러 변해야 한단다. 농수산물시장 개방할 때 밀어붙이던 공무원들이 써먹던 문장이다. 그것만 해서 먹고 살던 노인네들이 뭘 어떻게 변하란 말인가. 도대체 어떻게 살라는 말인가.

아니 그리고 정 부회장은 돈 많고 똑똑한 인재도 많이 거느린 자기나 열심히 공부하고 개발하고 변해서 롯데랑 한판 붙든지 세계무대로 진출해 자기 말마따나 '발전'하면 될 일이지 왜 엉뚱하게 골목길로 쳐들어와 할머니, 할아버지랑 싸우겠다고 하나. 싸움은 할머니, 할아버지들이랑 해야 제 맛인가? 외국에서 싸우는 건 자신이 없나? 브라운대 경제학과에서 배운 게 골목경제, 편의점 매니지먼트인가? 이 훌륭한 젊은이가 도대체 어디서 그런 한심한 사고방식을 배웠는가. 외국의 대형 유통업체는 첫째도 지역공동체, 둘째도 지역공동체인 것을 모르는가. 외국 나가 다니면서 뭐 하나. 공부 똑바로 하기 바란다.

우리나라에서 가장 많은 걸 가진 사람이면서도 돈독이 올라 동네 영세상인들의 밥그릇까지 빼앗아 가겠다고 언론에 스스럼없이 '확고하게' 말하는 모습이 바로 우리 보수의 변함없는 현실이고 미래다. 이런 자들이 노무현을 결국 정치에 뛰어들게 만든 것이다. 그리고 이들이 노무현을 죽인 것이다.

이렇듯 양보도, 타협도, 화해도, 관용도, 배려도, 용서도, 나눔도,

아량도, 자비도, 사랑도 없는 우리나라의 기득권집단에게 내 마음을 줄 수가 없다. 이들은 보수라 할 수가 없다. 이런 사이비보수만 들끓기에 한국 보수의 미래는 암담한 것이다. 보수도 수입해야 하나.

희망을 던져주고 간 노무현

국민을 상전으로 모셨던 머슴. 정말 그는 대통령 해먹기 힘든 나라에서 대통령 했다. 물론 그에 대한 평가는 아무래도 좀더 지나봐야 할 것이다. 다만 나는 그의 정신만은 잘 챙겨 간직하고 싶다. 그는 세상을 너무 빠른 걸음으로 앞서가려다 봉변도 당했지만 이제 곧 그의 정신이 우리를 움직이고 세상을 바꿀 것이라는 희망을 가져본다. 이게 그가 우리에게 남겨준 유산이라 생각한다. 희망.

나는 희망 좇는 바보가 되려 한다.

정희준 | 동아대학교 스포츠과학부 교수

법견, 법살 그리고 자기응징

용산폭거 이래 엠비MB정권은 그 성격이 급속히 변했다. 포악하고 무능한 정권 운영과 관련된 인명 피해가 한 달이 멀다 하고 속출하면서 피냄새가 점차 짙어져 왔다. 사람 몇이나 잡고 끝날 거나? 매일 자살하는 이들, 수많은 촛불 피의자, 용산폭거의 희생자, 화물연대의 박종태 지회장 … 그리고 터졌다. 대한민국 16대 대통령 노무현!

아무리 봐도 스스로 죽을 사람이 아니었다. 하지만 죽음이 아니라면 그를 저주하는 세력의 '정치적 노리갯감'으로 상설 전시될 것이라는 전망은 점차 분명해졌다. 검찰은 그가 재임 시절 가족과 측근들의 비위 사실을 알고도 방조했다는 '정황'을 막장 드라마처럼 쏟아냈다. 그런데 검찰은 언제쯤이나 '증거'를 내놓지? 그런데 이제는 증거가 있은들!

아서라, 대한민국 검찰이여, 어떻게 끝날지 뻔히 안다. 광주항쟁 때 누구도 계엄군에게 쏘라고 명령하지는 않았다고 발뺌하는데 총탄은 병사들 총부리에서 자발적으로 튀어나갔다고. 그래서 애초 광주학살이 성공한 쿠데타라고 했다가 금세 반국가 변란이라고 손바닥 뒤집듯 견해를 바꾼 대한민국 검찰은 끝내 발포 주동자를 찾지 못했다지? 그리고 아무도 죽지 않고 지금껏 산다.

노무현이 '자살'했다? 아니다. '증거'가 아니라 '먹이'만 찾고, 응당 죽을 자들을 방임하고 수백억, 수천억 원씩 먹은 자들을 좌시하면서 대한민국 국가기관 모두를 능멸한 자들에게는 면죄부를 줘온 법견法犬들에 의한 법살法殺이다.

이 사람 입에 올라 분에 못 이겨 죽었던 그 누군가와 '똑같은 자살'이라고? 그 사람의 삼족이 모두 검찰에 불려나가 모멸당했던가?

그렇다면 '승부수로 던진 자살'이라고? 그렇게 게임 보듯 하지 마라. 살아서 무슨 득을 보겠다면 판돈 걸듯이 목숨을 내놓겠는가?

결국 자기 응징이다. 자신이 뒤늦게 인지하고 시인한 자기 가족의 오점에 대해, 그리고 자기 적들에 비하면 턱없이 적기는 했지만 아무리 궁색한 살림비용이라도 받아쓴 평생 동지들의 실책이 그들에게 생활을 책임져 주지 못하는 망자의 자괴감을 들쑤셔 올렸을 것이다. 그리고 퇴임 뒤 한없이 꼬투리 잡으려는 현존 권력의 강퍅함은 그 자신이 잘 알 터이다.

그런데 자기와 관련된 실책을 이렇게 엄중하게 자책한 대통령이 앞으로도 있을까?

이제 노무현 선線이 진정성의 기준이다. 정의는 불의를 저지르지 않는 것이지만, 저지른 불의를 징벌하는 것이기도 하다. 그는 자기 응징으로 자기가 세운 정의의 최소 원칙은 지켜냈다.

그런데 이렇게 죄인도 자기를 응징하는데 왜 지금 수사 종결인가? 정말 응징할 죄인이 얼마나 많은데?

나는 노무현을 위해 눈물 흘리지 않겠다. 눈물 한 점도 혹여나 내

시야를 흐릴까봐 단 한숨도 흐느끼지 않고 이 나라의 한 시민으로 죽는 날까지 지켜보겠다.

노무현보다 더 죄지은 자들이 어떻게 살아갈는지. 법을 폭압의 도구로 타락시킨 이 정권이 이제 암살당한 대통령과 자살한 대통령을 모두 갖게 된 이 대한민국에서 어떻게 정의로운 선진 정치를 이룰는지. 아니면 폭력에 손대기 시작한 권력이 자멸하든가 붕괴하기 전에 결코 폭력을 끊지 못하는 권력의 생리대로 흘러갈는지.

노무현을 법으로 몰아붙인 '법견'들이 노무현보다 더 죄 많은 자들까지 과연 물어뜯을지. 그래서 사울이 바울이 되듯, '법견'이 '정의의 사도'가 될는지.

우리의 새 시대는 아직 열리지 않았다. 밤은 아직도 지속되고 있다.

홍윤기 | 동국대학교 철학과 교수

성찰 없는 권력의 가학성

살아 있는 권력의 가학성 앞에 죽은 권력이 죽음으로 응답했다. 성찰할 줄 모르는 권력이 성찰과 비판을 죽이는 시대를 반영하는가. 온건한 나라, 정상적인 사회라면 있을 수 없는 참담한 일이다. 실상 '전직 대통령에 대한 예우'는 말뿐이었다. '잃어버린 10년'을 내세우며 앞선 정권을 전면적으로 부정하는 새 정권과, 새 정권의 충견 노릇을 마다하지 않는 검찰에게 전직 대통령에 대한 예우는 애초 기대할 수 없었다. 검찰은 가학성에서 하이에나 같은 족벌언론과 다를 바가 없기 때문인가, 그들은 직접 추궁하는 대신 언론에 연일 수사기록을 흘리는 행위를 예우라고 생각했는지 모른다.

모든 권력이 위험하지만, 견제되지 않는 권력은 그만큼 더 위험하다. 자성할 줄 모르고 견제되지 않는 권력이 휘두르는 칼날은 갈수록 무자비해지고 그 칼날에 당하는 상처의 아픔은 스스로 성찰하는 만큼, 또 자책하는 만큼 더 깊어진다. 이를 알 리 없는 '29만 원 재산'의 전두환은 "전직 대통령으로서 꿋꿋하게 대응했으면 하는 아쉬움이 든다"고 말한다. 수많은 국민이 아쉬움보다 비통함에 젖는 것은 그런 차이에서 온 것이리라.

촛불의 힘이 잦아들자 언제 머리 숙여 사과했더냐 하는 식으로 진정한 자기반성을 보여주지 않는 이명박 정권은 수구족벌언론에 힘입어 언론권력으로부터도 별로 견제되지 않는다. 국민으로부터의 견제와 비판이 남아 있지만 이는 검·경의 공권력을 동원하여 막으면 된다. 촛불집회와 언론소비자운동에 대한 집요한 수사, 미네르바 구속, 피디수첩 관련자 체포, 정연주 한국방송KBS 사장 사건 등에서 이 나라 검찰은 정치검찰의 성격을 아낌없이 보여주었다. "막가자는 거지요!"는 과거 한때의 얘기가 아니라 바로 지금 벌어지는 현실이다.

검찰에 기소독점과 기소편의의 막강한 권한을 준 것은 국민을 지키는 파수꾼이 되라는 소명 때문이다. 그러나 검찰은 이 고유의 무기를 주로 이명박 정권의 경비견이 되거나 자기 보호를 위해서 사용한다. 그래서 검찰은 임채진 검찰총장이 포함된, 삼성 떡값 검찰 명단을 폭로한 김용철 변호사를 기소하지 않는다. 물론 김용철 변호사를 위해서가 아니다. 더 이상 훼손될 것도 없기 때문인지 '떡검'의 명예를 '떡검' 수준에서 지키기 위해서다. 천신일 수사를 세무조사 로비에 제한하는 등 사회적 사건을 검찰 편의로 한정 짓고, 촛불집회 참가자들과 언론소비자운동을 편 시민들은 끝까지 추적하여 형사처분하지만 경찰 폭력에 대한 시민들의 고소·고발에 대해선 피고소·피고발인 조사조차 하지 않는다. 죽봉 대신 '죽창'이라고 부르며 "한국 이미지에 큰 손상"이라고 주장하는 이명박 대통령과, 미네르바를 체포·구속한 검찰이 하나 되어 그리는 한국의 이미지는 실명제와 관련하여 구글에게 망신당한 인터넷 강국 한국의 이미지와 만난다.

남을 닦달하고 단죄하는 데 익숙할 뿐 자기성찰이 없는 검찰의 자화상은 용산참사 수사기록 3000쪽 분량을 공개하지 않는 데서 도드라진다. 문화방송 〈피디수첩〉에는 방영되지 않은 녹화기록까지 내놓으라며 으름장을 놓으면서, 재판에 직접 영향을 미치는 용산참사 관련 수사기록을 공개하지 않는 모순을 거리낌 없이 드러낸다.

성찰 없는 권력이 활개 치는 반역의 시대를 죽음으로 맞선 고인의 명복을 두 손 모아 빈다.

홍세화 | 〈한겨레〉 기획위원

'바보 노무현'을 추모하고,
'살인검'을 추궁한다

'사자의 심장'을 가졌던 '바보 노무현'

노무현 전 대통령이 투신하여 스스로 목숨을 끊었다. 권위주의 통치와 지역주의 정치구도에 맞서 온몸을 던졌던 정치인이 이제 문자 그대로 자신의 육신을 벼랑 아래로 던진 것이다. 국민직선으로 선출된 대통령의 마지막이 이래야만 하는가. 구 권력에 대한 청산은 정치의 속성이라고 하지만, 이렇게 죽음을 보는 것으로 끝이 나야 하는가.

노 전 대통령은 정직과 청렴을 주장하며 집권하였지만, 가족과 측근의 비리로 그 원칙에 타격을 입었다. 비주류 정치인으로 어려운 정치역정을 걸으면서도 자신을 지탱했던 자부심에 금이 가고 말았다. 자신과 가족, 측근이 감옥으로 끌려가는 것보다는 자신이 내세웠던 대의가 무너지는 현실이 훨씬 고통스러웠을 것이다. 노 전 대통령은 스스로 자신에 대한 정치적 사망선고를 내렸지만, 권좌를 새로 차지한 '사자獅子'의 눈치를 보면서 자리에서 물러간 '사자'를 물고 할퀴려는 각 분야의 '하이에나'들은 떼를 지어 덤벼든다. 인간으로의 자존이 무너지고 자신이 이끈 정부의 모든 것이 폄훼되는 현실에서 그는 모든 것을 자신이 다 지고 가겠다는 결심을 한 것이다.

노무현 시대는 끝났다. 그가 투신을 하여 뼈가 부러지고 피가 튀고 살이 찢어지는 방식으로 끝이 났다. 권력의 무상함과 함께 권력의 섬뜩함이 뇌리를 스친다. 노 전 대통령의 유서를 접하니 만감이 교차한다. 그가 생을 정리하는 마지막 순간 강조했던 메시지는 사회통합이다. 자신의 죽음으로 격분할 가족과 지지자들에게 "누구도 원망하지 마라"라는 메시지를 던졌다. 그는 정당한 절차를 거쳐 대통령으로 뽑혔지만 반대 세력은 그를 대통령으로 인정하지 않았음은 물론, 그의 상고 졸업 학력을 조롱하고 그의 언동의 말꼬리를 잡아 본말을 전도시키며 비방했다. 이러한 상황에서 그 역시 반대 정파와 격하게 부딪쳤다. 어떻게 '증오의 정치'를 그만두고 사회통합을 이룰 것인가는 좌와 우, 진보와 보수 양쪽 모두가 똑같이 고민해야 할 과제이다. 이는 단순한 심정적 회오悔悟만으로는 이룰 수 없으며, 국회의원 선거구제의 개혁, 권력분점의 제도화 등 정치개혁을 통해서만 가능할 것이다.

사실 나는 신자유주의 경제정책의 강화나 이라크 파병 등 노무현 정부의 정책에 대하여 반대하였다. 대통령 탄핵사태 이후 국회 다수파가 되고서도 국가보안법 폐지 등의 주요한 입법과제를 성취하지 못한 무능에 대해서 화가 났다. 한편 노 전 대통령의 정제되지 않은 돌출적 발언이나 제안에 대해서도 불만이 있었다. 퇴임 후 발생한 가족과 측근 비리 의혹의 경우 엄정한 수사와 노 대통령의 통절한 사과가 필요하다고 주장하였다.

그러나 이와 별도로 인간 노무현과 노무현 정부의 공은 공정하게 평가받아야 한다. 그는 한국의 민주화와 그 이후의 정치현실을 온몸으로 살았던 풍운아였다. 빈농의 아들로 태어나 독학으로 사법시험에 합격한 후 '인권변호사'로 민주화운동에 투신하였고, 노동운동을 돕다가 변호사로서 구속되는 시련까지 감당했다. 지역주의 타파를 원칙으로 지키는 바람에 몇 번이고 낙선했고, 그 원칙 덕택에 소속 당내 소수파로 대통령 후보가 되고 대통령까지 되었다. 정치적 견해의 차이에도 불구하고 '바보 노무현'은 아름다웠다. 그랬다. 그는 '사자의 심장'을 가지고 있던 사내였다. 대통령이 된 후 그는 권위주의 통치를 스스로 포기했다. 그는 검찰, 경찰, 정보기관을 권력유지의 수단으로 이용하지 않았다. 이 점에서 그는 진정 민주주의자였다. 또한 그는 지방분권과 사법개혁을 추진하여 상당한 성과를 거두었고, 인내심을 갖고서 남북간의 평화공존 노선을 밀고 나갔다.

　　노무현, 그는 떠났지만, 살아 있는 자의 일은 남았다. 대한민국이라는 정치공동체의 구성원들은 인간 노무현과 노무현 정부의 공은 살리고 과를 극복하는 일을 포기해서는 안 된다. 그의 사망 이후 대중적 추모가 계속되고 있지만, 이것이 단지 그를 '성자聖者'로 만드는 것으로 흘러가거나, 노무현 정부의 모든 정책을 정당화하는 쪽으로 귀결되어서는 안 된다. 저승에 있는 그 역시 자신과 자신이 이끌던 정부에 대한 근거 있는 비판을 두려워하지 않을 것임은 물론, 그러한 비판을 환영할 것이다. 노무현 시대는 한국의 정치적 민주주의가 활발히 자라나던 시기였음은 분명하다. 그러나 현 시기 우리에게는 그 시기 사회·경제적 민주주의는 답보 또는 퇴보하였음을 직시하는 '독수리의 눈'이 필요하다. 그리하여 이제 다시금 어떠한 정치가, 어떠한 정책이 대한민국에 필요한 것인가를 고민하고 실천해야 할 시기이다. '바보 노무현'의 정신과 용기를 계승하면서도 그를 넘어서는 이론과 실천, 비전과 정책이 필요하다. (경향신문, 5월 24일)

정권유착의 '살인검'은 안 된다

노무현 전 대통령의 비극적 죽음 이후 검찰 수사에 대한 비판이 고조되고 있다. 대통령의 온 가족과 측근에 대한 '먼지 털기'식 전방위·저인망 수사, 뇌물공여자의 진술에만 의존한 채 노 전 대통령의 자백을 획득하려는 압박수사, 확정되지 않은 혐의를 직접 중계하거나 조직 내부의 '빨대'를 통하여 언론에 전달하여 그를 '파렴치범'으로 만드는 피의사실 공표 수사 등이 그것이다.

물론 전직 대통령이라고 하더라도 부패 수사의 예외가 될 수는 없다. 그러나 이번 수사에서 임채진 검찰총장의 지론인 "절제와 품격 있는 수사"는 사라졌다. 스스로 정치적 사망선고를 내린 노 전 대통령에게 '항장불살降將不殺'의 기본 예의를 지켜주기는커녕 '조리돌림'식의 수사가 계속되었다. 노 전 대통령은 법원에 의해 유죄판결을 받기 이전에 검찰에 의하여 조선시대의 '팽형烹刑'을 당하였다. 검찰은 광장에 놓인 무쇠 솥에 노 전 대통령을 넣었다 뺌으로써 그의 육체적 생명은 붙여 놓으면서도 정치·사회적인 생명은 없애버린 것이다. 그리하여 노 전 대통령은 육체적 생명마저 놓아버리는 선택을 하고 말았다. 결과적으로 검찰의 칼이 '활인검'이 아니라

'살인검'이 되어버린 것이다.

　여기서 우리는 먼저 노 전 대통령에 대한 수사가 어떠한 정치적·사회적 맥락에서 이루어졌는지를 유념해야 한다. 과거 검찰은 검찰 개혁을 추진하던 노무현 정부와 계속 대립하였고, 평검사들마저 대통령과 '맞짱' 뜨려는 모습을 보였다. 그러면서 검찰은 정치권력으로부터의 독립을 향유할 수 있었다.

　그런데 이명박 정부가 들어서고 정권이 촛불로 휘청거리자, 검찰은 정권과 유착하여 정권 수호에 앞장섰다. 검찰은 미네르바 사건, 문화방송 〈피디수첩〉 및 와이티엔 사건 등에서 법리적 무리에도 불구하고 정부 비판 누리꾼과 언론인을 처벌하려고 했다. 촛불시위 참여 시민 및 시민·사회단체에 대해서는 '5공'식 강경처벌을 주도했고, '용산참사' 재판에서는 1만 500여 쪽에 달하는 수사기록 중 2600여 쪽을 공개하지 않으면서까지 철거민 처벌을 진두지휘하고 있다.

　이처럼 비판자와 반대파를 모두 '범죄인'으로 규정하고 형벌로 진압함으로써 법질서를 유지하려는 '과잉범죄화' 및 '경성硬性법치' 정책에 대하여, 검찰 내부에서 용기 있는 문제제기가 나왔다는 소식은 듣지 못했다. 검찰이 요구한 정치적 독립성은 자신의 이익이나 입맛에 맞지 않는 정권으로부터의 독립성이었을 뿐이었던가. 만약 지금 이명박 대통령이 검사와의 대화 자리를 만든다면, 평검사들은 이 대통령을 과거 노 대통령 대하듯이 할 수 있을 것인가.

　노 전 대통령에 대한 수사는 바로 이러한 상황에서 진행되었다. 단지 전직 대통령의 부패 혐의에 대한 엄정한 수사 차원이 아니라, 현 정권의 위기를 타개하는 방안으로 퇴임 대통령에게 '개망신'을 주고 그를 '물고物故' 내자는 정치적 결정이 검찰 윗선에서 이루어지고, 검찰은 이를 집행하려 하였다는 정황이 곳곳에서 엿보인다. 반면 검찰은 '살아 있는 권력'과의 대결은 주저하고 있다. 검찰에서 이 대통령의 셋째 사위인 조현범 한국타이어 부사장의 주가조작 의혹 사건, 천신일, 이상득, 정두언 씨 등 실력자가 등장하는 세무조사 로비 사건, 이재오 씨의 유학비용의 출처 등에 대하여 노 전 대통령에 대한 수사만큼의 노력을 기울였는지 의문이다.

'검사檢事'는 종종 스스로를 '검사劍士'로 비유한다. 이들은 수사권과 공소권이라는 쌍검을 휘두르며 범죄와의 투쟁을 벌인다는 자부심을 갖고 있다. 부패범죄와 기업범죄를 전담하는 중수부나 특수부 소속 검사들의 헌신도 알고 있다. 그러나 그 자부심이 권력의 뜻과 이익의 범위 안에서 우쭐대는 것이고, 그 헌신이 권력이 쳐놓은 테두리 안에서 맴도는 것이라면 아무 의미가 없다. 또한 그 칼이 권력의 눈치를 보는 칼이거나 권력의 의향에 따라 휘두르는 칼이라면 검사의 손에 있을 필요가 없다.

이제 검찰은 자신을 돌아보아야 한다. 자신이 권력의 요구에서 독립한 아름다운 모습으로, 범죄는 죽이고 사람은 살리는 절제된 '검무劍舞'를 추고 있는지, 아니면 권력의 유혹에 취한 추한 모습으로 마구 사람을 잡는 망나니 춤을 추고 있는지. 정권의 신뢰를 얻는 데 급급하여 국민의 신뢰를 잃는 검찰에 미래는 없다. (한겨레, 6월 3일)

조 국 | 서울대학교 법학전문대학원 교수

노무현 대통령 각하, 천국에서 평안하십시오

– 처음이자 마지막으로 '각하'라 부릅니다

오늘은 제가 사는 곳 인근에 친한 분들과 산에 다녀왔습니다. 오가는 길에 대통령님이 고초를 겪고 있지만 이겨내시리라고 웃으며 말했습니다. 집에 돌아와 아이가 "노무현 대통령 돌아가셨다"고 하길래, 아차 싶으면서도 아이만을 채근했습니다. "노 대통령이라면 노태우 대통령일 거야"라고 하면서, 아이가 본 뉴스에 "무현" 두 자가 없기만을 빌었습니다. 잔인한 기사를 제 눈으로 확인하고도 한동안 믿지 못했고, 지금도 제 눈에 고인 눈물이 꿈이라면 좋겠습니다.

힘드신 줄은 알았지만 그 정도인 줄은 몰랐습니다. 작년 8월에 찾아뵈었을 때 시달리시는 와중에도 의연하셔서 그만큼인 줄을 애써 모른 척했습니다. 대통령직에 계실 때 그 수모와 고초를 당하시고도 당당한 의지를 보이셨기에, 언제까지나 꿋꿋하시리라 믿었습니다. 진보라는 사람들이 허망한 몽상을 좇느라 님을 공격하고 등을 돌려도 희망을 간직하시기에, 늘 저희 곁에서 등불이 되어 주실 줄만 알았습니다. 뉴질랜드에 머무르면서 박연차 추문보도를 보면서 얼마나 힘이 드실지 짐작이 안 된 것은 아니었습니다만, 이 무능한 못난이가 소심하고 비겁하게 생겨먹어서 좀더 적극적으로 변호해드리지 못했습니다.

저는 대통령님께서 솔직한 일상어로 말씀하시는 것이 가장 좋았습니다. 그런 말투를 쓰는 사람치고 거짓말하는 사람을 못 봤기 때문에, 저는 님의 정직성에 대해서는 일말의 의심도 품은 적이 없습니다. 그악스러운 보수파는 물론이고 진보라는 사람들까지도 님을 물어뜯을 때, 저는 그들이 무엇보다도 님의 솔직함을 두려워하는 것으로 보았습니다. 하지만 이런 이야기들을 좀더 공개적으로 주장해보기도 전에 님은 떠나버리셨군요. 하염없는 눈물만 흐릅니다.

일제 고등계 형사 같은 검찰이 성가시게 하는 정도였다면 쉽게 이겨내셨겠지요. 이명박이나 방상훈이 복수하는 것쯤 웃으며 넘기셨겠지요. 기대했던 사람들에게 실망을 준 것 때문에 가장 마음이 아프셨겠지요. 그러나 저는 대통령님 때문에 상심한 적은 없습니다. 지금도 대통령님이 느꼈을 아픔을 생각하면 눈물이 앞을 가리지만, 대통령님이 저희 곁을 떠나신 때문에 상심을 하지는 않습니다. 저희에게 남기신 일들이 있고, 그 일을 위해 언제나 저희 맘속에 살아계시리라 확신하기 때문입니다.

대통령님을 괴롭힌 모든 인종들을 지목해서 조목조목 비난하고 싶습니다만, "원망 마라"고 하신 당부를 지금은 따르겠습니다. 검찰이 법으로 사람을 잡는 인간사냥개 노릇을 한 것이 아닌지도 지금은 따지지 않고, 얼치기 진보들의 자기방어용 결벽증이 대통령님께 얼마나 부담스러웠을지도 지금은 들춰내지 않고, 이명박 장로가 기독교의 탈을 쓰고 빌라도 노릇을 하는 모습도 지금은 고발하지 않겠습니다. 다만 대통령님께서 일생을 바쳐 염원하신 대로 민주주의가 일시적인 기류가 아니라 제도로 시스템으로 작동할 수 있도록 제 남은 삶을 바치겠습니다. 민주주의의 제도적 기틀을 확립하기 위해 필요한 만큼씩만, 법이라는 명목의 인간사냥을 들춰내고, 진보적 결벽증이라는 이름의 자기보호본능을 따지고, 이명박 장로의 빌라도스러움을 고발하겠습니다. 지금은 하지 않고 앞으로 두고두고, 대통령님께서 지금까지 해오셨듯이 끈질기게 낱낱이 밝혀내겠습니다.

꼭 한번 말씀드리고 용서를 구할 대목이 있었습니다만, 차일피일 미루다 비보를 맞고 말았습니다. 제가 그동안 쓴 글에서 대통령님을 예의 없이 언급한 대목을 혹시라도 보셨다면 꼭 해명을 드리고 싶었습니다. 제가 존경하지 않는 대통령들에게 경칭을 쓰기가 싫던 차에, 경칭 따위 별로 좋아하지 않으시는 노무현 대통령님의 기질에 기대느라 그랬음을 꼭 한번은 직접 말씀드리고 싶었습니다. 대통령님이 "정치적으로 미숙했다"는 저의 평가도 대통령님의 성과를 폄하하는 칼날이기보다는 아쉬움, 특히 현실을 무시하는 진보진영에게 소 잃고 외양간이라도 고치라는 심정에서 한 말임을 꼭 한번은 변명하고 싶었습니다. 무엇보다도 제가 인간 노무현은 물론이고 정치인 노무현도 너무나 사랑하고 좋아했었음을 꼭 한번은 고백하고 싶었습니다. 사랑한다는 말을 기어이 한번도 못하고 "사랑했었다"고밖에는 말할 수가 없다니 눈물이 다시 흐르고 통곡을 막을 길이 없습니다.

이렇게 떠나셨지만, "삶과 죽음이 하나"라는 말씀에서 이미 평안하신 모습을 저는 봅니다. 생전에 님을 들볶던 모든 사람들은 잠시 숙연하다가는 금세 또 누군가를 찾아 못 살게 굴 것입니다만, 그들을 위해서 더는 마음 아파 마시고 이제는 님의 평안만을 돌보시기 바랍니다. 생전에 내세에 관해 의식적으로는 어떤 입장을 취하셨든지 상관없이, 제가 믿는 천국에서는 높은 자리를 예비하고 님을 맞이했으리라고 확신합니다.

대통령님과 같은 시대를 살 수 있어서 행복했음을 살아있는 동안까지 이웃에게 전하겠습니다. 노무현을 대통령으로 뽑았던 것이 대한민국에게 영광이었음을 못난 글재주가 허락하는 데까지 널리 깊게 알리겠습니다.

각하라는 호칭을 싫어하셨지만 오늘은 처음이자 마지막으로 각하라고 불러보고 싶습니다. 그 호칭을 왜 싫어하시는지 사무치게 공감하지만 이번만은 부르도록 허락해 달라고 면전에서 떼라도 쓸 수 있다면 좋겠습니다. 이승만, 박정희, 전두환은 물론이고 심지어 김대중 대통령께도 각하라는 호칭은 써본 적이 없고, 앞으로 어떤 대통령에게도 각하라고는 부를 생각이 전혀 없습니다만, 태어나 처음이자 마지막으로 각하라는 말을 호칭으로 쓰는 것을 용서해주시기 바랍니다.

노무현 대통령 각하, 천국에서 평안하십시오.

박동천 | 전북대학교 정치외교학과 교수

죽은 지도자의 사회

노무현 전 대통령이 세상을 떠났다. 지도자 한 사람이 큰 충격을 던지며 우리 사회를 하직했다. 그의 죽음은 그 자체로서 커다란 사건이면서 매우 상징적인 의미를 담고 있다. 우리 사회에는 진정으로 훌륭한 지도자가 존재할 수 없다는 것을 말하는 것이다. 죽은 지도자의 사회, 그 현실을 상징한다.

한 인간으로서 노무현, 사회의 진보를 위해 변혁 운동에 헌신해온 활동가로서 노무현은 참으로 인간적이고 의로운 사람이었다. 정치인으로서 노무현도 대통령이 되기까지 매우 참신하였다. 그 역할의 크기가 어떻든 그는 본받을 만한 사람이었다. 우리 사회가 잘 품어야 할 훌륭한 인물이었다.

대통령으로서 노무현에 대한 평가는 보기에 따라 긍정과 부정이 엇갈리며 복잡해진다. 잘한 것도 있지만 과오도 적잖았다. 정치적 반대세력에게 환영받지 못했을 뿐 아니라 지지자들이나 우호세력에게도 적잖은 실망을 주었다. 거기에는 대통령의 역할 문제도 있었고, 집권세력 전체의 문제도 있었고, 요직을 맡았던 인물들과 측근의 문제도 있었다. 확대해서 생각하면 민주주의 국가사회에서 주권자로서 국민이 국가공동체의 진보에 좀더 창조적으로 참여하지 못한 탓도 없지는 않다. 그렇게 노무현 정부의 공과에는 대통령이 혼자 책임져야 할 몫도 있고, 여러 사람들이 나누어 책임져야 할 공동의 몫도 있다.

개인으로서 노무현은 대통령 재임 때에도 변함없이 훌륭한 편이었다. 권위주의에 빠지지 않고 평소의 모습을 가식 없이 소탈하게 지켰고, 권좌의 유혹 속에서도 도덕적으로 크게 일탈하지 않았다. 물론 옥의 티가 없었던 것은 아니다. 대통령이라는 직임을 수행하는 사람으로서 다소 경솔했던 언행들, 그리고 가족과 친지 관계에서 오해의 여지가 있는 돈 거래의 불인지 등이 그런 예이다.

불상사 없이 삶을 이어갔다면 우리 사회의 지도자로서 노무현은 여러 가지 평가를 동시에 받으며 앞으로 남은 삶에서 그가 실천하는 일들과 모습에 따라 재평가되었을 것이다. 자연스럽게 생을 마감한 뒤에 그가 대다수 사람들에게 '훌륭하다'고 인정을 받았을지 아니면 그냥 운 좋게 대통령 한번 지낸 정치인 정도로 여겨질지는 모르는 일이었다.

그런데 그의 죽음을 통해 그는 스스로 훌륭함을 입증하였다. 그가 얼마나 진심으로 의롭게 살고자 했는지, 옥의 티도 그렇게 괴로워할 만큼 순수했는지 그리고 국가와 사회와 추종자들을 위해 자신이 어떻게 헌신하고 희생해야 하는지를 아는 지도자임이 드러났다. 개인적 미련이나 입지보다 사회적 대의를 더 중시하고, 지도자의 도리를 통감하는 모습을 있는 그대로 보여주었다. 지도자의 몫이라면 목숨까지 담백하게 내놓았다. 그의 진정성을 확인하지 못해 많은 사람들이 유보해두었던 몫을 긍정적으로 확인시켜주었다. 깊은

손녀딸과 함께

인상까지 남겼다.

그런데 참으로 애석한 일이 아닌가? 우리는 훌륭한 지도자 한 사람을 확실하게 발견하는 순간 그는 이 세상에 없지 않은가? 이것이 무슨 모순이란 말인가? 목숨을 내놓는 막판까지 가지 않고서는 참된 지도자를 확인하고 얻을 수 없단 말인가? 일상 속에서 참되게 살아가는 지도자를 자연스럽게 만나볼 수는 없는 것인가?

오늘날 우리 주변에는 진정으로 인류와 국가와 사회의 진보를 위해 몸 바치는 사람들이 많지 않다. 그런 사람들이 지도자가 되기는 더욱 힘들다. 지도자가 되어도 훌륭한 모습을 지키며 훌륭한 일만 하도록 세상이 허하지 않는다. 바보로 만들거나 타락시키거나 매도

한다. 온갖 사람들이 멀리서 가까이서 시기하고 헐뜯고 먼지를 뿌린다. 개인적 욕망과 정파적 이해관계로 얽어매고 덫을 놓는다. 진정으로 사회를 위해 일하는 지도자의 설 자리를 남겨두지 않는다. 진정한 지도자가 제대로 뜻을 펼칠 수 없는 사회가 되고 있다.

패거리의 인물들은 많으나 사회의 참된 지도자는 없는 현실. 있어도 온전히 살아서 일할 수 없는 현실. 참된 지도자는 죽고, 거짓 지도자들만 살아남는 현실. 오늘날 우리는 '죽은 지도자의 사회'에 살고 있다.

'살아 있는 지도자의 사회'는 언제나 가능할 것인가? 많은 지도자들이 참되게 살며 함께 일하는 사회는 언제 올 것인가? 서로의 훌륭함을 발견하며 인정해주는 사회, 개인의 욕망보다 사회의 진보를 먼저 생각하는 사람들이 더불어 살아가는 사회, 어린이와 젊은이의 가슴마다 아름다운 지도자의 꿈이 자라는 사회, 모든 사람이 각자 자신의 자리에서 의롭게 일하며 참된 지도자가 되는 사회는 과연 올 수 있을까?

주경복 | 건국대학교 불어불문학 교수

사지로 내몬 '빨대 검찰'과 언론

2007년 12월 28일, 당시 이명박 당선자는 노무현 대통령을 만나, "전임자를 잘 모시는 전통을 만들겠다"고 약속했다. 그 약속은 지켜졌다. 노 전 대통령이 몸을 던진 2009년 5월 23일, 이 대통령은 비서관들에게 "전직 대통령에 대한 예우에 어긋남이 없도록 정중하게 모시라"고 긴급 지시했다. 드디어 전임자를 잘 모셔도 될 때가 왔다고 판단한 걸까? 이 사건을 보며 머릿속으로 고대의 역사가 헤로도토스가 남긴 기록이 떠올랐다.

"페르시아의 왕 캄비세스가 이집트의 왕 사메트니우스를 붙잡았을 때, 그는 이 포로에게 모욕을 주고자 했다. 캄비세스는 페르시아의 개선행렬이 지나는 거리에 사메트니우스를 세워두라고 명령했다. 사메트니우스는 자신의 딸이 물동이를 인 하녀의 모습으로 제 앞을 지나는 것을 봐야 했다. 모든 이집트인이 이를 보고 슬퍼했지만 사메트니우스만은 눈을 땅에 떨어뜨리고 아무 말도 하지 않았다. 제 아들이 처형당하기 위해 행렬 속에 함께 끌려가는 것을 보고도 그는 꿈쩍하지 않았다. 하지만 포로행렬에서 자신의 하인 가운데 하나를 보는 순간, 그는 손으로 머리를 치면서 가장 깊은 슬픔을 표했다."

세세한 차이만 있을 뿐, 우리가 본 것은 수천 년 묵은 이 고대의 관습을 그대로 빼닮았다. 마치 전쟁을 치르듯 정치하는 나라라서 그럴까?

임기를 마친 것은 패전이 되었고, 퇴임한 대통령은 포로 취급을 받았다. 포로가 된 대통령은 먼저 측근들이 줄줄이 형장으로 끌려가는 것을 봐야 했다. 승자들은 그의 눈앞에 포박한 아내를 데려다 놓고 실실 웃으며 "자기를 구하려고 아내를 버리느냐"고 모욕을 퍼부었다. 법적으로 싸워보겠다던 그의 가냘픈 의지도 행렬 속에서 마침내 자기의 아들과 딸을 보는 순간 꺾이고 말았다.

촛불정국으로 현직 대통령의 인기는 바닥을 헤매고 전직 대통령의 인기가 날로 높아만 가고, 친노가 재결집한다는 소문이 떠돌던 지난해 여름. 수사는 연임을 앞둔 전 국세청장이 특별세무조사로 4개월 동안 태광실업을 털어 얻어낸 정보를 대통령에게 직보함으로써 시작됐다. 세무조사 앞에 붙은 '특별'이라는 말은 우리 사회에서 매우 '특별'한 뜻을 갖는다. 검찰은 인원을 두 배로 늘려 전직 대통령 주변을 몇 달에 걸쳐 먼지 털듯이 털었다. 국정원에서는 때맞춰 억대의 시계 얘기를 흘렸다. 금속탐지기를 갖고 봉하마을로 쳐들어가자는 얘기까지 나왔다.

포로를 처형할 것이라면 단숨에 할 일. 하지만 검찰은 그동안 이른바 '빨대'를 동원한 교묘한 언론 플레이만 해왔다. 검찰은 고슴도치인가? 온몸에 빨대를 꽂은 모양으로 내용물을 줄줄 흘리고 다녔다. 이를 보다 못한 누군가가 검찰청에 빨대 한 상자를 택배로 보내는 퍼포먼스를 했다. 고양이가 참새를 잡아놓고 이리저리 장난을 치듯이, 수사를 끝내놓고 구속 카드와 불구속 카드를 손에 들고 만지작거리기를 무려 한 달. 마침내 참혹한 사태가 벌어지자 이제 와서 낯 두껍게 "원래 불구속 기소하려고 했다"고 인간미를 자랑한다.

검찰-빨대-언론은 혐의를 사실로 확정했다. 재판이 열리기도 전에 이미 판결은 법정 밖에서 내려졌다. 보도를 보니 "확실한 물증을 수사팀에서 확보하지 못한 게 아니냐"는 관측이 나온다. 그래서 주변을 괴롭히며 압박하고 들어가 강제로 자백을 유도할 수밖에 없었다는 것이다. 이게 사실이라면 검찰은 무리한 수사라는 비난을 피해갈 수 없을 것이다. 백번 양보를 해 검찰에서 확실한 물증을 확보하고 있었다 하자. 그 경우 더 큰 문제가 남는다. 증거는 언론이 아니라 법정을 위한 것인데, 왜 언론 플레이로 전직 대통령을 망신 주는 정치적 기동을 해야 했는가?

"미안해하지 말라." 권양숙 여사를 향해 한 말인 것 같다. 가족이 돈을 받았어도, 어차피 도덕적 책임은 대통령 자신에게 돌아간다. 물론 도덕적 책임과 법적 책임은 엄연히 다르나, 평소 깨끗한 정치를 표방하던 자신이 이제 와서 법과 도덕은 다르다며 변명을 하는 것 자체가 구차한 일. 그렇다고 변호를 안 할 수도 없는 것이, 그 일에 당신 개인만이 아니라 개혁세력 전체의 명예가 걸려 있기 때문이다. 하지만 자신을 변호하면 검찰의 올가미가 주변과 가족을 향해 전방위로 옥죄여 들어온다. 이런 상황에서 어떤 선택을 할 수 있을까?

고향에서조차 유배생활을 해야 했던 그분은 몸을 날려 정치 없는 세상으로 날아가셨다. 이것을 '서거'가 아니라 '자살'이라 불러야 한단다. 그래, 더 정확히 말하면 이것은 '자살'이 아니라 '타살'이라 불러야 한다.

커다란 슬픔과 뜨거운 분노로 그분을 보낸다. "원망하지 말라." 그래, 우리는 저들을 용서하자. 그러나 결코 잊지는 말자.

진중권 | 중앙대학교 겸임교수

노무현 대통령의 서거와 그의 유지

나는 지난번 '국방부 불온서적 지정'에 대하여 법무관으로서 헌법소원을 제기하였다가 파면당한 사람이다. 사회 곳곳에서 연이어 벌어지고 있는 '원칙과 상식'에 대한 무지막지한 파면사태는 개탄스럽기 그지없다. 이는 시계를 거꾸로 돌리려는 현 정권에서 비롯하는 바, 노무현 전 대통령이 지키고 구현하고자 했던 가치가 그 어느 때보다 소중하게 느껴진다. 그는 죽음으로써 그 가치를 온 국민에게 자각시킴으로써 새로운 시대를 여는 단초를 제공했다.

노무현 전 대통령의 서거는 "전 권력자에 대한 사정수사"임이 명백해 보인다. 또 이번 사태로 인해 검찰권력은 최소한의 정당성마저 모조리 잃어버렸다. 원래 검사들이 특수수사에서 하는 이야기들 중에 피의자가 불지 않으면 우선 자식을 대면시켜 피의자로 하여금 울게 한 다음에 바로 자백을 받아내야 한다는 이야기가 있다. 피의자의 피의사실과 무관하며, 한국적 정서를 이용한, 수사도 아닌 수사인 것이다.

검찰은 노 전 대통령에 대한 수사에서 일반 피의자와 동일한 수사방식을 적용했고, 대통령에 대한 예우 같은 건 애초에 그들의 심중에 없었다. 형법 제126조의 피의사실공표죄는 이미 사문화되어 찾아볼 수도 없는 조항이 되어버렸다. 검찰권력은 이번 사태를 통해 국민에게 신뢰를 완전히 잃어버렸다. 스스로의 힘으로는 자정이 불가능한 상태가 되었다.

언론 역시 마찬가지이다. 무책임한 보수언론은 검찰의 수사 결과를 낱낱이 앵무새처럼 받아 보도하고, 전직 대통령을 시정잡배로 만들어버렸다. 일부 진보언론도 검찰의 확성기를 그대로 보도함으로써 기사의 보도가치 판단에서 신중하지 못했다는 책임을 벗어날 수 없다.

노 전 대통령은 돌아가셨지만 그의 의로운 그리고 외로운 외침은 아직도 국민의 가슴에 살아 있다. 노 전 대통령은 시민사회의 자발적 참여를 통한 지역주의 타파와 정치개혁 그리고 시민들을 위한 복지예산 확충에 상당한 힘을 기울였다. 하지만 그 한계점은 명백히 드러났다. 대연정 제안, 이라크 파병, 한미FTA와 같은 국체國體의 결정 방향에서 대통령은 이른바 '국민적 여론'의 형성을 통해 보수와 진보를 망라한 국가적 합의National Consensus를 찾기 원하였다. 보수든 진보든 이러한 방향의 합의점 도출에 대해 저마다의 입장만을 주장했을 뿐이며, 책임 있는 국민의식 형성을 찾아나가길 서로 원하지 않았다.

지금 이 틀에서 나는 '담론 유통 구조'의 개혁이 노무현 정부로부터 우리 사회가 계승해야 할 가장 중요한 시각이라고 생각한다.

우선, 대한민국 미래사회의 스펙트럼을 보는 인식을 참여정부로터 반드시 계승하여야 한다. 미국, 일본, 중국의 경제구조, 군사력에 비하면 한반도는 작은 존재임이 분명하다. 이런 국제정치의 현실은 한반도에 항상 강력한 세력과의 줄타기를 강요해왔다. 이런 줄타기를 잘하기 위한 전제조건이 무엇인가. 다름 아닌 통일이다. 작지만 강한 사회로 발전시켜 나가기 위해서, 그리고 분단 60년의 상처를 극복하기 위해 반드시 필요한 것이다. 노 전 대통령은 이런 작은 한반도 사회를 넓혀 북한과 관계개선을 위해 김대중 정부의 '햇볕정책'을 계승했다.

반면 한반도의 보수주의자라는 정치인, 학자, 문화계 인사들 중 상당수는 책임 있는 정치 및 사회운영을 지금까지 해본 적이 없다. 그냥 자신들이 하고 싶은 말만 내뱉을 뿐, 책임 있는 사회의 회복에 대한 주장들을 고장난 레코드판처럼 '친북좌파' 세력이라는 한마디로 요약해 편협한 자신들의 주장으로 도배해왔다. 그리고 국민들에게 그것을 믿으라고 여러 가지 쇼를 한다. 이번 사태는 결국 무책임한 정치 및 사회운영에 대하여 도전한 '위대한 인간'의 삶을 정치보복을 통해 종지시켰다는 점에서 비극이다.

노 전 대통령은 시스템 정치의 도입을 여러 차례 주장했다. 시스템의 정치는 다름 아닌 개인이 발로 뛰어 사회문제를 해결하는 것이 아닌, 시스템 전체가 사회문제의 해결에 있어 각자의 분야에서 개인들의 일상적인 일과만으로도 가능할 수 있게 사회가 바뀌는 것을 의미한다. 시스템 정치의 핵심은 경제발전과 함께 사상의 담론 시장의 폭이 좀더 넓어지며, 모든 영역에서 활발하게 자신의 의견을 개진하고 토론하는 민주정치에서 비롯한다.

참여정부에서는 대통령이 직접 인터넷을 통해 국민과 대화하였고, 청와대홈페이지를 통해 어떠한 정책이든 손쉽게 접근할 수 있도록 정책 리포트를 여과 없이 국민에게 제시했다. 참여정부 내각의 인사들 중 상당수도 그러한 시스템 정치의 도입을 위하여 각 부처에서 국장급을 비롯한 하급관료까지 각자의 의견을 개진할 수 있는 담론유통구조가 형성되도록 상당한 노력을 기울였다. 인터넷 포털사이트 토론방에서는 자발적인 시민적 담론형성이 일었다. 그리고 '미네르바' 같은 경제예지자를 낳았다.

참여정부의 한계와 그 한계의 극복은 다름 아닌 담론의 유통구조를 개혁하는 것이다. 대한민국 사회는 국민적 합의를 위한 논의의 도출방식에서 자신만의 주장을 되풀이하며, 언론의 자유에 따른 책임을 지는 방식에 둔감하다. 다른 이들의 생각의 접점을 찾아보고 생각방식을 읽어내어 대화하지 못하는 데 문제가 있다. 이 사회의 살아 있는 권력인 자칭 '보수 정치가, 학자'들은 깊이 있는 사고구조 체계를 갖고 있지 못할 뿐 아니라, 한반도사회에 적합한 정치, 경제, 사회, 문화의 모델이 무엇인가에 대해 고민하지 않는다. 그리고 흑백논리로 어떠한 논쟁이든 그 논쟁을 손쉽게 덮어버리는 아주 나쁜 관행을 가지고 있다. 참여정부는 바로 담론시장에서 이런 민중선동가demagogue들을 퇴출시키지 못했다는 데서 대통령의 투신이라는 비극적 사태를 초래하였다.

우리가 해야 할 일은 명백하다. 참여정부의 수장이 외롭게 외쳐

온, 담론시장의 활발한 유통성을 확보해야 한다. 다양한 언론매체의 발전을 통한 다양한 의견의 제시와 수용, 무책임한 언론사들의 사상의 시장에서의 자발적 퇴출, 여러 담론영역에서 시민들에 대한 최대한 접근성 보장이 그것이다. 그리고 그러한 담론유통구조의 개혁과 함께 보수정치가 일색으로 반복되어온 '회전문식'의 정치구조 개혁 역시 함께 동반되어야 한다. 개혁된 담론유통구조가 정치에 반영돼 진정한 대의민주제가 구현돼야 한다.

지역주의 개혁 방법으로 비례대표제의 비율을 반 이상으로 늘리고 대선거구제를 확보하며, 그들만의 리그를 가능케 하는 정당법을 개혁하고, 참신한 담론 유통과 수용을 형성케 할 신진정치가를 충원할 수 있게 하는 상향식 공천 시스템의 마련이 시급하다. 하지만 이런 시스템 개혁의 담론 형성은 하루아침에 가능한 것이 아니다. 노무현 대통령이 했던 것처럼 장기적인 관점에서 이루어져야 한다.

이 중 일부분이 이뤄져 '노짱'의 인기가 만들어졌고, 위대한 정치가 노무현을 낳지 않았던가? 이제 한반도는 개혁을 통해, 더 이상 외로운 산책자를 사지로 내모는 일이 없게 해야 할 것이다.

박지웅 | 전 법무관 · 변호사

노무현 대통령과 백범 김구 선생

2009년은 백범 김구 선생 서거 60주기입니다. 다가오는 6월 26일이 60주기 기일입니다. 그러고 보니 최근 백범 관련 뉴스들이 더러 있었네요. 얼마 전 서울시는 경교장을 완전 복원하겠다고 밝힌 바 있으며, 5월 17일에는 백범의 비서를 지낸 선우진 선생이 타계하셨습니다.

요 며칠 노무현 전 대통령 추모 관련 글을 몇 줄 쓰면서, 문득 노 전 대통령 영정에 백범 선생이 겹쳐지더군요. 근래 두 분에게 집중하다보니 그럴 수도 있겠다 싶기도 했지만, 제게 그런 현상이 나타나게 된 데는 나름의 계기가 있습니다. 바로 다음(98쪽)의 사진 한 장 때문인데요, 그 사연은 이렇습니다.

경교장—봉하마을의 '통곡의 조문'

1949년 6월 26일 오전 11시경, 안두희가 백범 면회를 왔습니다. 선우진 비서는 앞서온 손님이 있으니 잠시 기다리라고 했습니다. 손님이 나오자 선우 비서는 안두희를 2층으로 데려가 백범에게 안내했습니다. 그리고는 선우 비서는 백범의 점심을 챙기러 지하식당에 잠시 내려갔습니다. 12시 40분경, 위층에서 요란한 소리가 들려

백범 서거 당일,
경교장 마당에 엎드려 통곡하는 민중들.
이 사진은 〈라이프〉지의 칼 마이던스 기자가
서거 당일 경교장 2층 백범 집무실에서
찍은 것으로, 사진 하단에 안두희가 쏜
총알의 탄흔이 선연하다.

뛰어 올라갔더니 백범은 이미 안두희의 총을 맞고 피를 흘리며 쓰러져 있었습니다.

당시 백범의 피격, 서거는 순식간에 발생했으며, 현장에서 즉사한 탓에 외부로 시신을 이송한 적도 없었습니다. 그런데 백범이 서거했다는 소문이 어떻게 퍼져나갔는지, 경교장 앞마당에는 어느새 시민들이 모여들어 엎드려 통곡하였습니다. 이건 구전으로 전해져오는 한낱 '전설'이 아닙니다. 서거 당일 경교장으로 달려간 한 외신기자가 찍은 오른쪽의 사진이 증명하고 있습니다.

이번 노무현 전 대통령의 서거 이후 모습도 비슷해 보입니다. 봉하마을이나 덕수궁 앞 분향소엔 연일 '통곡'이 이어졌습니다. 심지어 장대비를 다 맞아가면서 한 '눈물의 조문'은 감동적이었습니다.

이건 누가 이리 하라고 시켜서 되는 일은 절대 아니지요. 제 마음에서 우러나고, 제 마음에서 동의해야 가능한 것이지요. 이들의 눈물 속에는 '지켜주지 못해 미안한' 회한 같은 것도 뒤섞여 있다고 봅니다.

'판박이' 같은 경찰의 조문 방해

백범 서거 때나 이번 경우에나 비슷한 것이 하나 더 있습니다. 바로 경찰의 '조문 방해'입니다. 백범 서거 당시 경찰은 시민들의 경교장 조문을 극심하게 방해했습니다. 심지어 지방에서 올라오는 조문객들의 차량을 중도에서 막기도 했습니다. 또 효창원에서 열린 장례식 때도 역시 마찬가지였고요.

대다수 한국인들은 지도자를 잃은 상심에 눈물로 추모를 하는데, 이들의 조문을 방해하는 걸로 봐, 그 경찰들은 한국인이 아닌 모양이죠?

그런데 문제는 우리 경찰은 그때나 지금이나 크게 변한 것이 없다는 점입니다. 불과 1년 전에는 국가원수였고, 국민 대다수가 그의 비극적 죽음을 슬퍼하는데, 고작 이들이 하는 행위라는 게 주권자인 시민들의 조문 방해라니요. 서울에서 천리 떨어진 봉하마을이야 그들이 손을 쓸 수 없었겠지요.

만만한 덕수궁 대한문 앞 임시분향소를 전경차로 둘러싸는 것은 물론이고 시민들의 순수한 분향조차 방해하였다는 보도를 곳곳에서 봤습니다. 한 경찰 고위간부는 "전경차로 둘러싸니 포근하다는 사람도 있더라" 했다는군요.

정직하지 못한, 도덕적이지 못한 지도자는 백성이 모이는 것을 두려워합니다. 백범 서거 당시에는 이승만 대통령이 극도로 민심을 두려워하여 그랬습니다. 그래서 백범 빈소 조문을 통제했고, 경찰은 그 '개노릇'을 한 것입니다.

모르긴 해도 지금 상황이 그때와 비슷한 거 아닙니까? (반론 펼 분은 펴보세요.) 그렇지 않고서야 시민들의 순수한 조문을 이리도 방해할 리가 있습니까? 서울시민 수천, 수만 명이 늦은 밤 덕수궁 담벼락 밑에서 조문을 기다리고 있었건만, 오세훈 서울시장은 고사하고 이들에게 차 한잔 권하는 시청공무원을 본 적이 없습니다. 그래놓고도 이들이 시민의 세금으로 월급 받는 서울시청 공무원이라고 할 수 있습니까?

대부분의 국민도 노 전 대통령 일가의 비리에 대해서는 잘못했다고 생각합니다. 그러나 그렇다고 해서 지금의 검찰 수사가 적정했다고 생각하는 사람도 많지 않습니다. 말하자면, 회초리 세 대 맞을 짓을 한 사람에게 곤장 100대를 치는 격이라고나 할까요? '노통'에 대한 검찰 수사가 정당하고 적정했다면 조문행렬이 왜 이리도 길까요? 그들이 전부 '노빠'가 아닐진대 '촛불집회'로 이어질 가능성을 왜 미리 겁냅니까? 수사가 적정했다면 오히려 법치주의를 바로세웠다며 검찰에 박수가 쏟아졌겠죠?

국민적 존경과 사랑을 받는 '서민 출신' 지도자

두 분은 우선 둥글둥글한 외모가 많이 닮았습니다. 또 전형적인 서민의 풍모인데요, 실지로 모두 서민 출신이기도 합니다. 긴 설명

할 것 없이 위 사진을 보고 비교해 보는 게 좋을 거 같습니다.

백범은 1876년 황해도 해주의 몰락한 양반의 집안에서 태어났습니다. 노무현은 1946년 경남 김해(진영)에서 농부의 아들로 태어났습니다.

백범은 국모(명성황후)의 원수를 갚겠다며 일본군 중위를 때려죽이고 감옥을 갔고, 인권변호사 노무현은 대우조선 사태 때 '제3자 개입'으로 감옥에 갔다 왔습니다. 두 사람 모두 저 혼자 잘 먹고 잘 살려다 감옥가지 않았다는 점이 공통점입니다.

백범은 이후 고향에서 교육사업을 하다가 1919년 상해 임시정부로 망명하여 해방 후 환국할 때까지 칠십평생을 조국의 독립과 통일을 위해 몸 바쳤습니다. 중국 땅에서 모친, 아내, 장남을 잃었고, 그 역시 동지의 총에 맞아 사경을 헤매기도 했습니다.

노무현은 '상고 출신'으로, 사법고시에 합격한 후 불과 7개월 만에 판사를 그만두고 이후 인권변호사로 활동하면서 노동현장과 시국사건을 도맡아 변호하였습니다. 정치인이 되어서는 손해를 봐가면서도 낡은 정치 타파를 위해 온힘을 쏟았습니다.

김구 선생의 호 백범白凡은 그 스스로 백정白丁과 범부凡夫를 따서 지었다면, 노무현의 별호別號인 '노짱'과 '바보 노무현'은 지지자들로부터 선물 받은 것입니다.

두 사람은 모두 평범한 서민 가문에서 태어나 일생을 민중들과 함께 뒹굴며 살았습니다.

두 사람 각각 대한민국 임시정부와 대한민국 정부의 최고책임자를 지냈는데요, 역대 국정 최고책임자들 가운데 이 두 사람이 국민적 존경과 사랑을 받고 있는 건 바로 그들의 '희생적 삶' 때문이 아닐까 싶습니다.

백범 선생의 60주기를 앞두고 선생의 애국적 삶을 다시 한 번 되새기며, 5월 23일 비운의 삶을 마감한 노무현 전 대통령의 명복을 기원합니다.

정운현 ｜ 태터앤미디어 대표

바르게, 열심히 사셨습니다.
이젠 '따뜻한 나라'에 가세요.
이젠 '경계인'을 감싸주는 나라에 가세요.
이젠 '주변인'이 서럽지 않은 나라에 가세요.
'남기신 씨앗'들은,
'사람사는 세상 종자'들은
나무 열매처럼, 주신 것을 밑천으로
껍질을 뚫고 뿌리를 내려
'더불어 숲'을 이룰 것입니다.

2

꽃이 진들
그가 잊힐 리야

꽃이 져도 그를 잊은 적이 없다

좋은 나라 가세요.

뒤돌아보지 말고
그냥 가세요.

못다한 뜻
가족
丹心으로 모시는 이들이
있을 것입니다.

죄송합니다. 제대로 모시지 못해 죄송합니다.
사랑합니다.
행복했습니다.

21년 전 오월 이맘때쯤 만났습니다.
42살과 23살
좋은 시절에 만났습니다.

부족한 게 많지만

같이 살자고 하셨지요.

'사람사는 세상' 만들자는
꿈만 가지고
없는 살림은 몸으로 때우고
용기 있게 질풍노도처럼 달렸습니다.
불꽃처럼 살았습니다.

술 한잔 하시면 부르시던 노래를 불러봅니다.

"오늘의 이 고통 이 괴로움
한숨 섞인 미소로 지워버리고
가시밭길 험난해도 나는 갈 테야.
푸른 하늘 맑은 들을 찾아갈 테야.
오 자유여! 오 평화여!
뛰는 가슴도 뜨거운 피도 모두
터져 버릴 것 같아…."

터져 버릴 것 같습니다.
제대로 모시지 못한 죄 어찌할지 모르겠습니다.

천형처럼 달라붙는 고난도
값진 영광도 있었습니다.

운명의 순간마다
곁에 있던 저는 압니다. 보았습니다.

나라를 사랑하는 남자
일을 미치도록 좋아하는 사나이를 보았습니다.

또 하나의 모습
항상 경제적 어려움과 운명 같은 외로움을 지고 있고
자존심은 한없이 강하지만 너무 솔직하고
여리고 눈물 많은 고독한 남자도 보았습니다.

존경과 안쓰러움이 늘 함께 했었습니다.

"노 대통령이 불쌍하다"고 몇 번이나
운 적이 있습니다.

최근 연일 벼랑 끝으로 처참하게 내 몰리던 모습

원통합니다.

원망하지 말라는 말씀이 가슴을 칩니다.

잘 새기겠습니다.

힘드시거나
모진 일이 있으면
계시는 곳을 향해 절함으로써

맛있는 시골 음식을 만나면
보내 드리는 것으로

어쩌다 편지로 밖에 못했습니다.

산나물을 보내 드려 달라고 부탁했었는데
애통합니다.

지난여름 휴가 때 모시고 다닐 때는
행복했습니다.
풀썰매 타시는 모습은 영원히 잊지 못할 것입니다.
올 여름에도 오신다고 했는데…

이 고비가 끝나면 제가 잘 모실 것이라고
마음속에 탑을 쌓고 또 쌓았습니다. 계획도 세웠습니다.

절통합니다.
애통합니다.

꼭 좋은 나라 가셔야 합니다.

바르게, 열심히 사셨습니다.
이젠 '따뜻한 나라'에 가세요.
이젠 '경계인'을 감싸주는 나라에 가세요.
이젠 '주변인'이 서럽지 않은 나라에 가세요.

'남기신 씨앗'들은, '사람사는 세상 종자'들은
나무 열매처럼, 주신 것을 밑천으로
껍질을 뚫고
뿌리를 내려 '더불어 숲'을 이룰 것입니다.

다람쥐가 먹고 남을 만큼 열매도 낳고,
기름진 땅이 되도록 잎도 많이 생산할 것입니다.

좋은 나라 가세요.
저는 이 세상을 떠나는 날까지
닿는 곳마다 촛불 밝혀 기도하고,
맑은 기운이 있는 땅에 돌탑을 지을 것입니다.
좋은 나라에서 행복하게 사시도록 …
돌탑을 쌓고, 또 쌓을 것입니다.
부디, 뒤돌아보지 마시고
좋은 나라 가세요.

제 나이 44살

살아온 날의 절반의 시간
갈피갈피 쌓여진 사연
다 잊고 행복한 나라에 가시는 것만 빌겠습니다.
죄송합니다.
사랑합니다.
행복했습니다.

다포茶布에 새겨진 글
"꽃이 져도 너를 잊은 적이 없다"가 떠오릅니다.

할 수 있는 거라곤
주체할 수 없는 눈물밖에 없는 게 더 죄송합니다.

좋은 나라 가세요.

재산이 있든 없든
버림 받고 살지 않는 삶은 무엇일까요?

우리의 유산은, 내 유산은 무엇인가 생각해 봅니다.
노 대통령님으로부터 받은 유산, 제가 어떻게 살아야 할까요?

저를 아시는 분들에게

봉하마을에 힘과 격려 부탁드립니다.
가족에게 따뜻한 마음 거듭 부탁드립니다.

그리고 저를 아시는 분들
제가 말하는 맑은 기운이 있는 땅, 탑을 쌓을 곳이
어디인지 아실 겁니다. 본격적으로 탑을 쌓고 지읍시다.

노 대통령님 행복한 나라에 가시게
기도해 주세요, 가족분들 힘내시게

찻집에서 본 茶布에 쓰인 글귀가 생각납니다.
"꽃이 져도 너를 잊은 적이 없다"

끝없이 눈물이 내립니다.

장맛비처럼.

이광재 | 국회의원(민주당)

당신의 참말

비가 그치고 써레질 끝낸 논바닥에 찰람찰람 물이 들어찼습니다. 찔레꽃 피고 오동꽃 떨어지자 곧 모내기가 시작되었어요. 오와 열을 맞춘 어린 모들이 흔들리며 뿌리를 내립니다. 그 층층 다랭이 호수 속에는 나무와 풀 그림자가 들어있고 해와 달과 산과 구름이 한껏 돛폭 부풀려 서쪽 바다를 항해하고 있군요. 해오라기 한 쌍 노을에 되비친 자기 모습을 보며 묵언정진에 들어갔으며 바람은, 삽을 씻고 돌아가는 늙은 농부의 주름살 계곡으로 쉼 없이 불어갑니다. 흙 묻은 장화를 털고 담배를 빼어 문 황토빛 얼굴에는 땅을 탓하지 않고 평생 삶을 경작해 온 홍그런한 마음이 들어있습니다. 많이 굶고 살아온 사람만이 가질 수 있는 밥그릇에 대한 경건한 기도가 들어있습니다. 무엇보다 서럽고 가난하고 힘없는 사람들 편에 서려 했던 당신의 마음이 들어있습니다. 당신은 누구보다, 한 그릇 밥 앞에 눈물 흘려 본 사람이기에, 밥이야말로 얼마나 치사하고 위대한 참말이라는 것을 알고 있는 사람이기에, 어둠 속에서도 거짓말할 줄 몰랐던, 진실한 말은 오히려 서툴다는 것을 온몸으로 보여 준 당신이기에, 어떤 바닥이든 가리지 않고 완벽한 수평을 유지하려는 물의 평등한 말씀을 떠올려 보았습니다.

당신은 참 말을 못하는 사람이었지요. 왜냐하면 참말만 골라했기 때문입니다. 당신의 말을 이해하지 못한 사람들은 좋은 학교 나온 별 볼일 있는 사람들이었거든요. 당신의 현장 언어를 책상물림들이 알아듣지 못한 건 당연하지 않겠어요. 현란한 말이나 미사여구는 당신에게 몸에 맞지 않는 옷처럼 어색했어요. 바보라는 별명, 그거 '바로 보다'에서 나온 말 아닌가요. 바로 보는 사람은 늘 손해 보기 마련입니다. 이익이나 대차대조표를 그렸다면 진즉에 때려치우고 떠났을 것입니다. 농부만큼 바보가 어디 있겠습니까. 손해 나는 장사를 하는 사람이 몇이나 있겠습니까. 질 줄 알면서도 싸우는 선수가 어디 있겠습니까. 삶에서 이기려고 기를 쓰고 덤벼든 우리가 당신을 떠밀었습니다. 더 넓은 아파트, 더 큰 자동차, 더 많은 돈벌이를 위해 사글세를 쫓아내고 자전거와 손수레를 깔아뭉개고 장애우와 비정규직을 쫓아낸 우리가 등 떠밀었습니다. 더 편안한 삶을 위해 당신을 절벽 아래로 떨어뜨렸습니다.

이명박 정권이나 한나라당, 검찰이나 족벌 언론은 아무 죄가 없습니다. 그들은 딴나라 사람들입니다. 군대에 가지 않기 위해 멀쩡한 관절을 수술하고, 글로벌 세계 리더를 키우기 위해 이중국적을 소지하고, 자연을 너무나 사랑한 나머지 위장 전입하여 농지를 불법으로 사들이고, 논문을 표절하고, 노동자의 고혈로 부를 축적하고도 세금을 포탈하고, 비자금을 조성하여 끼리끼리 나누어 먹고, 돈이 된다면 바퀴벌레도 수입하고, 처녀불알도 구워삶아 팔아넘기는, 재벌들을 비롯하여, 전국에 걸쳐 수십 채의 아파트와 상가를 소유하고 있는 판·검사, 장관, 국회의원, 대학교수들은 우리와 피가 다른 사람들입니다. 최고급 미국산 쇠고기를 먹고, 영어 몰입식 교육을 받고, 30만 원이 넘는 비누곽과 천만 원이 넘는 목욕탕 부스를 이용하는 사람들이, 철거에 반대하며 불에 타 죽은 사람들을 거들떠보기나 하겠습니까. 그들은 뇌, 척수, 신경세포가 우리와 다른 사람들입니다. 이 머슴들을 지키기 위해 주인 앞에서 시위를 하는 검찰과 경찰은 얼마나 충실한 푸들입니까. 그들의 모국어는 영어입니다. 그들의 헌법은 강자에겐 아부하고 약자에겐 무자비한 폭력으로 다스릴 것, 밖으로는 강하고 안으로는 한없이 관대할 것, 이것이 전문입니다. 그러니 그들은 아무 죄가 없습니다. 광주학살 이후에도 서정시를 썼던 시인들이 당신을 버렸습니다. 노벨문학상 한번 받아보려고 1%의 부자들에게 구걸하고 있는 작가들이 당신을 죽였습니다.

바야흐로 똥 묻은 개가 겨 묻은 개를 타박하는 시대입니다. 제 눈의 들보는 걷어내지 못하고 남 눈의 티눈을 의심하는 세월입니다. 저 하늘에 계신 하눌님과 땅속이 천국인양 헤집고 노는 땅강아지에 이르기까지 삼천대천세계에서 헛된 죽음은 없는 거지요. 당신이 흘린 피 는 물이 되고 불이 되고 공기가 되어 당신을 죽음으로 몰아간 사람들의 몸속으로 스며들 것이니,

여름 비바람, 가을 무서리, 겨울 폭설에도 계절은 어김없이 흐르고, 세상이야기가 다 쓰여지고 난 뒤에도 새로운 이야기가 지금, 다시 쓰여지고 있듯, 세상 사람들 다 죽어 흔적 없이 사라진다 해도 새로운 생명은 어디선가 꿈틀 일어서듯, 당신의 참 말은, 당신의 참 행동과 실천은, 끝내 다시 시작하는 후세들에게 뿌리내려 울울창창할 것입니다. 한 치 망설임도 없이 뛰어내린 고드름처럼, 삶이란 올가미 앞에 절대 고독을 견디며 매달려왔던 당신의 손을 가만히 만져봅니다. 거친 삶을 살아왔지만 뜻밖에 부드럽군요. 당신이 흘린 눈물, 세상 골목을 빠져나와 아픈 틈을 메우고 강물을 휘돌아 지금 마악 바다와 만나 뜨겁게 끌어안는 모습이 보입니다. 눈물은, 말이 태어나기 전, 어머니가 만들어낸 가장 오래된 모국어라는 것을 믿습니다.

유용주 ｜ 시인·소설가

바보 노무현

시가, 이런 시가 있습니다 _ 바보 노무현 1

돌아서면 배고픈 콧물 많던 시절. 병학이는 빵 하나를 사들고 짝 꿍 무현이에게 달려가 나눠 먹자고 했다. 그런데, 무현이는 반씩먹 으만둘다배고펑께니가다머그라난배고펑거잘참는다,며 희미한 일 자 주름 이마로 웃어 주었다. 무현이가 죽자 병학이는 무현이가 먹 지 않은 빵 반 조각을 50년 동안 간직한 가슴으로 와서 무현이의 영 정 앞에서 목 놓아 울었다. 병학이를 달래는 무현이의 영정은 짙게 파인 일자 주름과 함께 50년 전 그때처럼 환하게 웃고 있었다.

이발사 정주영의 울음 _ 바보 노무현 2

사우나에서 만난 이발사 정주영을 노무현은 대통령이 되고 나서 청와대로 불렀다. 그때부터 5년간 매주 한 번씩 정주영은 노무현의 머리를 만졌다. 대통령 퇴임 후 어느 날 노무현 前 대통령이 죽었 다는 뉴스를 보던 정주영의 아내가 대성통곡하였다. 온 집안을 울 리는 아내의 울음소리를 듣고, 정신을 차린 정주영은 그제야 털썩 주저앉아 엉엉 울었다. 이발사 정주영의 울음이 한 발 늦었다.

질투 _ 바보 노무현 3

작년 이맘 때

벽제 화장터 화구 속으로 들어가는 사랑하는 여자를 보며 울었다.

흰 가루로 내게 안긴 여자를, 임진강 귀퉁이에 쪼그려 앉아

바람 속으로 훨훨 날려 보내며 울었다.

다시는 세상으로 돌아오지 말라고 소리치며 강물에 흘려보냈다.

그리고, 오늘 또 한 사람

씩씩하고 촌스러운 사내가 목숨을 놓았다.

절벽 같은 세상 한가운데로 천둥처럼 뛰어내려

그 사내 온 세상을 쿵 쿵 울게 한다.

울지 않는 사람 울지 않는 풀들이 없다.

나무도 새도 만장도 만장 속의 글도 소리 내어 운다.

그러나,

나는 울지 않는다.

사랑하던 여자를 잃고 천 날을 울던 내가 그 사내 죽고 울지 않는다.

저승에 사는 내 여자는 새내기 그 사내의 지지자가 될 것이고

저승에 노사모가 건설될 것이 분명한데 내가 울 수가 있겠는가

질투가 온몸을 떨게 하는데.

가는 곳마다 인기 좋은 그를 위해 내가 왜 우는가

내 여자 이제 저승에서 얼씨구나 웃고 살 텐데

그 사내 부러운 사내 노짱.

부처를 보면 눈물이 나는가, 아니다.

예수를 보면 눈물이 나는가, 아니다.

죽은 그 사내의 웃는 영정을 보면 눈물이 나는가, 아니다.

그 사내 천 사람 만 사람의 눈물과 함께

십자가를 지고 신의 반열에 올라

살았을 때 버릇처럼 아이들 사탕 빼앗아 먹으며 웃을 그 사내

멋있어서 화난다.

괜히 죽어서 내 마음의 여자를 빼앗아 갈까 그것만이 걱정이다.

울래야 울 수가 없다.

노사모 하지 말라고 저승으로 편지를 할 수 있나

문자를 할 수 있나.

답답하고 답답하여 울어도 딱 한 번만 운다.

바보 같은 사람들이 그의 영정 앞에 쓰러지며

강물처럼 운다. 나는 울지 않는다.

저승의 내 여자만이 걱정이어서

질투에 휩싸인 나는 울지 않는다.

살아서 평생 질투로 내 여자를 잊지 않을 것이고

죽을 때까지 바보 그 사내 노무현을 감시해야 한다.

이현상과 김일성과 내 여자가 나란히

김구 노무현과 막걸리를 마셔도

저승에는 남녀간의 이성적 감정이 없는 곳이어야 한다.

세월이 흘러 내가 저승갈 때 비로소

저승에도 남녀간의 사랑이 처음으로 생겨

먼저 간 내 여자가 늦게 오는 나를 안아 주길.

죽을 때까지 가장 걱정스러운 사내

저승의 노짱을 감시하며

나는 이제 매일 걱정과 질투로 밤을 새워야 한다.

저승에는 제발 이성간의 사랑이 없기를

죽도록 사랑했던 내 여자가

만인의 연인 노짱에게 빠지지 않기를

다만, 신들에게 빈다.

김주대 | 시인

삼가 고인의 유서를 읽는다

말귀가 어둡지 않은 사람이면 느낄 것이다. 노무현 전 대통령이 마지막 남긴 짧은 글에는 설명하기 어려운 힘이 있어서, 그의 죽음을 앞에 두고 허튼소리를 할 수 없게 한다.

죽음을 결심한 한 가장이 가족에게 당부하는 말로 쓴, 이 열네 줄의 유서는 크게 세 부분으로 나뉜다.

여섯 줄로 가장 긴 첫 부분에서, 고인은 여전히 공인의 신분인 전직 대통령으로서 극단적인 선택을 할 수밖에 없었던 이유를 밝힌다. 그는 먼저 자신으로 말미암아 고통을 받고 있거나 받게 될 여러 사람들의 처지를 안타까워했다.

이 "여러 사람들"은 우선 그의 가족을 비롯해서 수사 중인 사건에 연루된 사람들을 겨냥하는 말일 것이나, 그에게 여전히 믿음을 지니고 그를 어떤 정치적 상징이나 그 구심점으로 생각했던 사람들도 거기서 빠질 수 없기에, 그 안타까움은 개인적인 차원을 넘어선다.

고인이 "여생도 남에게 짐이 될 일밖에 없다"고 썼을 때도, 그는 자신의 삶과 연결된 주변 사람들의 부담만을 생각한 것은 아닐 것이다. 그는 자신과 정치적인 의견을 같이했던 사람들의 역사적 회

망에도 자신의 삶이 걸림돌이 될 것을 바라지 않았다.

고인은 자신의 신상에 대해서도 말한다. 건강이 좋지 않아 아무 일도 할 수 없으며, "책을 읽을 수도 글을 쓸 수도 없다"고 썼다. 창조적 활동가였던 고인은 이제 자신에게서 그 창조 역량을 더는 발견할 수 없으며, 따라서 한 인간의 위엄을 지킬 수 없다고 생각한 것이다. 이 고난 앞에서 그 위엄은 살을 찢고 뼈를 부러뜨리는 결단으로만 회복할 수 있다. 고인은 그 일을 결행했다.

자신의 죽음에 임해 가족들이 지녀야 할 마음의 태도를 말하는 두 번째 부분은 세 줄의 당부와 두 줄의 이유 설명으로 되어 있다. 고인은 슬퍼하지도 미안해하지도 말라면서, "삶과 죽음이 모두 자연의 한 조각"이기 때문이라고 그 이유를 말했다. 여기에는 물론 땅과 몸이 하나라는 철학적·종교적 사유가 있지만, 비록 죽음이 인위적이라도 자기 내면의 목소리에 따른 결과이기에 자연을 거스른 것이 아니라는 생각도 있다.

고인은 누구도 원망하지 말라고 했다. 그 이유를 "운명이다"라고 짧게 썼다. 이 운명은 제 희망이 오욕으로 덮인 것을 바라보며 몸을 찢어야 하는 사람의 처절한 운명이다. 그 운명을 원망하지 않고 받아들인다는 것은 아름다운 정신이 아니면 감당할 수 없는 자기희생에 속한다. 거기에 패배주의는 없다.

고인이 자신의 장례에 관해서 말하는 마지막 부분은 세 줄로 짧다. 화장하되, "집 가까운 곳에 아주 작은 비석 하나만 남겨라"라고 당부했으며, "오래된 생각" 이라는 말을 덧붙였다. 작은 비석은 공훈을 적기 위한 것이 아니다. 세우는 것이 아니라 남겨야 할 이 비석은 현재가 아니라 미래를 위한 것이다. 자신을 면목 없는 사람으로 생각했던 고인은 이렇게 그 영욕의 자리였던 생물학적 육체의 흔적을 지상에서 지우고 싶어 했으나, 역사에 걸었던 기대를 끝내 접지 않았으며, 그 평가를 두려워하지 않았다. 오래된 생각은 깊은 생각이다. 그는 역사의 깊이를 믿었다.

고인은 순간마다 한 뜻을 위해 자신의 온몸을 내던졌던 사람답게 죽음 앞에서도 전적으로 죽음에 관해서만 말했다. 처절한 결단을 향해 추호의 주저함도 없었던 고인의 유서에는 짧은 문장과 비교적 긴 문장이 어울려 만드는 단호한 리듬과 처연한 속도감이 있다. 이 다감하고 열정적이었던 사람의 절명사는, 고결한 정신과 높은 집중력에서 비롯하는 순결한 힘 아래, 우리 시대의 어느 시에서도 보기 드문 시적 전기장치를 감추고 있다. 고인이 믿었던 미래의 힘과 깊이가 그와 같다.

황현산 | 문학평론가 · 고려대학교 불어불문학과 교수

지붕 낮은 집을 원한 대통령

- "내가 설계한 사저가 아방궁이라니?"

5월 23일 토요일, 하루 종일 찌푸린 하늘아래 가랑비가 흩뿌린
다. 비보를 접하고 하루 종일 가슴이 애린다. 끊임없이 눈물이 고인
다. 통곡할 슬픔과 놀라움 속에서 하루가 지난 오늘 새벽까지도 부
엉이바위는 시야를 흐리게 한다. 믿을 수 없는 것을 믿어야 하고,
지금 떠나서는 안 되는 분을 떠나보내는 심경을 어찌 다 말로 표현
할 수 있겠는가? 그래도 꼭 말해야 한다면 오늘 나는 고백해야만 한
다. 그동안 가슴속에 꾹꾹 참아왔던 얘기를 털어놓아야만 하겠다.

지난 2년 반 동안 나는 대통령의 봉하마을 사저를 설계하고, 봉하
마을 계획들을 거들어 오면서 숱한 대화를 나누었다. 노무현 대통
령은 건축가의 입장에서 보면, 참으로 훌륭한 건축주이셨다. 집짓
기를 위한 회합을 거듭할수록 계획안은 점점 나아졌고, 서로간에는
신뢰와 공감이 생겨났고, 사저로 입주한 후에도 이런저런 일로 찾아
뵙고 또다시 봉하마을에 피어날 꿈의 계획들을 들을 수 있었다.

나는 마지막 가시는 길을 위해 두 가지를 밝혀야만 한다. 하나는
세상 사람들이 텔레비전 화면에 비친 모습만 바라보는, 바라볼 수
밖에 없는 사저에 관한 것이고, 다른 하나는 농부 노무현이 꿈꾸던
소박한 세계를 알리는 것이다. 오늘의 이 비통함과 가슴 저리는 심

봉화산에서 내려다 본 사저 전경

경 속에서 우리가 갖춰야 하는 최소한의 예의는, 고인에 관한 왜곡된 사실들을 바로잡아 주는 것이기 때문이다. 봉하마을 사저는 내가 설계했기 때문에 내가 제일 잘 안다. 그런데 항간에서는 '봉화아방궁'이라는 말로 날조해서 사저를 악의적으로 비하했다. 도저히 참을 수 없는 나는 대통령에게 내가 나서서 기자회견을 해야겠다고 간청했다. 그러나 그래봐야 아무소용이 없으니 참으라고 하셨다. 내가 설계한 대통령의 사저는 흙과 나무로 만든 집이다. 아방궁은 커녕 불편한 집이다. 처음만남에서 대통령은 농촌으로의 귀향은 아름다운 자연으로의 귀의가 아니라 농사도 짓고, 마을 자원봉사도 하고, 자연도 돌보는 일이라고 하셨다. 그래서 나는 그렇다면 도심 아파트 같이 편해서는 안 되고, 옛날 우리 조상들이 안채와 사랑채를 나누어 살았듯이, 한 방에서 다른 방으로 이동할 때는 신을 신고 밖으로 나와서 이동하는 방식의 채 나눔을 권유하였다. 한 공간에 모든 것이 편리하게 배치되어 있는 도시의 집과 달리 식사를 하거나 집무실로 이동할 때마다 봉화산을 바라보거나 공기 내음을 맡으면서 농촌에 살고 있음을 환기하는 것이 좋겠다는 생각에 대통령은 흔쾌히 동의하셨다. 흙집에다가, 도시 사람으로서는 살기에 불편한 집. 그러나 품위가 있고 자연과 조화로운 집, 그런 집을 원하신 셈이다. 그리고 경호원들과 비서진의 공간은 너무 떨어뜨리지 말고 한 식구처럼 생활하도록 주문하였다. 집이 다소 커 보이는 문제는 있지만 경호동을 안채와 붙여서 비서진과 경호원들을 배려하는 마음을 나는 중정형의 집으로 화답한 셈이다.

그렇다. 노무현 대통령은 권위주의를 물리치고 민주주의를 확장한 분으로 평가하기도 한다. 그러나 무엇보다도 세상 사람들이 잘 모르는 것은 사람들에 대한 배려이다. 건축가는 안다. 건축주가 누구이며 집을 통해 무엇을 실현하려는지. 대통령은 결국 "지붕 낮은 집"을 베이스캠프 삼아 봉하마을 주민들의 농촌소득 증대사업을 유기농법으로 전환시키고, 봉화산과 화포천 일대의 자연환경을 보존하고 치유하며, 궁극적으로는 청소년을 위한 생태교육장을 만들고자 하셨다. 재임시절 풀지 못한 숙제 중 하나인 농촌 문제를 몸을 던져 부닥치려는 대통령의 의지는 퇴임 후 일년 내내 쉴 새 없이 지속되었다. 마을 뒷산 기슭에 '장군차'도 심고, 마을 앞뜰에는 특산물매장도 꾸리고, 노무현표 브랜드 쌀을 출하할 계획도 세웠다. 특히 장터 지하 쪽에 작은 기념도서관 건립도 꿈꾸고 계셨다. 민주화운동

시절 당신이 가까이했던 민주주의에 관한 책들, 당시 젊은이들의 양식이 되었던 모든 책들을 모아 작지만 전문적인 민주주의 전문도서관을 구상하고 계셨다. 농사도 짓고, 자연과 생태를 살리고, 작은 동물농장을 봉화산자락 부엉이바위 밑에 만들어 청소년들과 함께 하려는 생각들이 바로 농부 노무현의 소박한 꿈들이었다. 그리고 틈틈이 폭넓은 독서에 빠져 통치 시절을 정리하며 집필 작업에 임하셨다. 독서와 토론은 노무현 대통령이 봉하마을에서 즐기던 값진 삶의 한 부분이었다.

그러나 이 모든 것을 뒤로하고 대통령은 결국 우리 곁을 떠나셨다.

그것은 내 탓이다. "산은 멀리 바라보고 가까운 산은 등져야 한다"는 조상들의 말을 거역하고 집을 앉힌 내 탓이다. 봉화산 사자바위와 대통령이 그토록 사랑하던 부엉이바위 가까이에 지붕 낮은 집을 설계한 내 탓이다.

다시 한 번 깊이 생각해보자. 노무현 대통령이 목숨을 던져 우리들에게 남긴 질문들을. 나는 생각한다. 이 애통함 속에서 한 마디의 단어, 그것은 '순교'이다. 한국현대사에 심연처럼 가로놓인 질곡들, 멍에들, 허위의식들, 인간의 탈을 쓴 야수성들. 이 모든 것을 안고 간 대통령의 죽음을 나는 순교라고밖에 달리 부를 말이 없다. 나는 부엉이바위 밑에 작은 동물농장의 그림을 보여주기로 한 약속을 못 지킨 채 지금 봉하마을로 내려간다. 노무현 대통령은 지금도 바로 거기에 계시므로.

정기용 | 건축가

우리는 꿈과 희망을 주는 정치인을 잃었다

– 노무현 의원과 박원순 사이에 오간 편지

나이가 조금씩 들어가면서 건망증이 점점 더 심해간다. 참여연대가 내는 월간지 《참여사회》 담당인 최인숙 씨가 전화를 해와서 과거에 내가 노무현 의원에게, 다시 노무현 의원이 나에게 편지를 보냈다면서 그것에 해제를 붙여주면 다음호 《참여사회》에 싣겠다고 했다. 그 편지의 내용을 보고서야 그런 일이 있었던 것을 어렴풋이 기억할 수 있었다. 당시 《참여사회》는 먼저 한 사람이 편지를 쓰고 그 편지를 받은 사람이 답장을 하면서 또 다른 제3자에게 편지를 쓰는 식으로 진행되는 코너였다. 먼저 내가 보낸 편지의 전문이다.

노무현 의원님께

정말 고생하셨습니다. 선거라는 게 얼마나 힘든 일인지 저희들이 옆에서 낙선운동이라는 이름으로 견학해보니 잘 알 수 있었습니다. 더구나 지역감정의 회오리바람으로 낙선까지 하였으니 그 아픔이 오죽 크시겠어요? 위로전화도 한 번 못 드렸습니다. 그런데 낙선 직후 위로하는 사람들에게 "농부가 어디 밭을 탓할 수 있겠느냐"며 낙선시킨 지역주민들에 대한 비난을 온몸으로 막았던 일은 감동스러웠습니다.

그러나 어쨌든 결과로는 노 의원님의 정치적 입지에 타격을 입었는데 이를 어떡하나요? 앞으로 어떻게 이 상황을 타개해 볼 생각인가요? 저희들 같은 시민운동가들이 정치개혁과 지역감정 타파를 위해 어떤 일을 할 수 있을까요? 이 잡지의 답변으로 부족하신 부분은 뵙고라도 경청하겠습니다.

당시 노무현 의원은 이미 종로에서 보궐선거로 당선이 되어 현역 국회의원이었고 그래서 이 지역에서는 당선 가능성이 높은 상황이었다. 그러나 그는 지역감정 타파라는 대의를 내걸고 자신의 고향인 부산지역에서 출마를 강행하였다. 그리고 '장렬하게' 낙선하고 말았다. 그것을 위로하는 편지였던 것이다. 그런데 노무현 의원은 이런 내용에 대해 아주 길고도 확신에 찬 답장을 보내왔다. 내가 우려했던 의기소침은커녕 더욱 당당하고 열정에 가득 찬 목소리를 느낄 수 있었다.

박원순 변호사님께
안녕하셨습니까? 이렇게 제 의견을 말씀드릴 수 있는 좋은 기회를 주셔서 감사드립니다. 위로전화도 못했다고 자책하시지만 항상 변호사님의 자리에서 최선을 다하시는 모습은 저에게 많은 힘과 위로가 됩니다. 선거기간에 진행된 낙선운동에 대해서도 의견을 나누고 싶고, 선거 후일담도 나누고 싶지만 자리를 따로 마련하기로 하고 여기서는 보내주신 내용에 대한 답변을 통해 저의 의견을 전하고자 합니다. 이번 총선의 낙선으로 인한 저의 정치적 입지의 타격을 걱정해 주셨고 이를 어떻게 타개할 것인가를 물어오셨습니다. 이것에 대한 답변을 드리기 위해 먼저 되묻고 싶습니다. 변호사님은 정치인이 해야 할 가장 중요한 일이 무엇이라고 생각하십니까? 저는 정치인이 해야 할 가장 중요한 과제가 국민들이 안도하고 미래에 대한 꿈과 희망을 가질 수 있도록 하는 것이라고 생각합니다. 이를 잘못 이해한 사람들이 입으로만 안도감을 주고 희망을 제시하기도 했습니다. 그러나 안도감과 비전의 제시는 세치 혀의 말솜씨만으로는 줄 수 없습니다. 이것은 시대가 안고 있는 과제를 하나하나 풀어 가는 실천과 노력 속에서 만들어지는 것입니다. 입법활동, 행정의 감시가 중요하지만 정치인의 활동에 전부가 될 수는 없습니다. 크고 작은 민원을 통한 제도의 개선, 문제제기와 정책의 제시, 대화와 토론, 그리고 여론의 조성과 개입 등 정치인의 일상적인 활동을 밖에 있지만 열심히 할 것입니다. 그리고 정부와 당에서 주는 역할에 충실하고 스스로 일을 만들면서 끊임없이 노력하겠습니다.

제가 가지고 있는 고민은 우리에게 제시되고 있는 과제들이 수준을 달리하고 있다는 것입니다. 나머지는 국민들의 인식 속에 희망적인 모습으로 다가오는 모습이지만 지역갈등의 문제와 말과 실천이 일치하지 않아서 생기는 불신풍조의 문제는 도대체 앞이 보이지 않는 과제로 저의 마음을 누르고 있습니다. 동서화합을 위해 노력하면 불리하고, 자기의 논리에 충실하면 실패하는 지금의 현실을 어떻게 올바른 모습으로 바꾸어 놓을 수 있겠습니까? 계속 노력할 것입니다. 계속 역설하고 주장할 것입니다. 하지만

© 사람사는 세상

청와대 잔디밭에서

올바른 것이라는 역설을 통해 국민들의 인식을 바꾸기에는 많은
어려움이 있습니다. 일제시대 때부터 형성된 '올바른 주장과 행
동은 결국 불이익을 가져온다' 는 인식은 결국 '모난 돌이 정 맞
는다' 또는 '계란으로 바위치기다' 라는 말을 만들어냈습니다.
이것은 기회주의적이고 대충대충 사는 삶이 사회를 살아가는 데
어려움을 주기보다는 이로움을 주는 형국에까지 이르게 만들었
습니다. 저는 이런 과제를 해결하기 위해서는 분열주의와 불신풍
조에 정면으로 맞서서 성공한 사례가 필요하다고 생각합니다. 저
는 이 사례를 만들기 위해 끊임없이 노력하고 도전할 것입니다.
어려운 길이리라 생각됩니다. 계속 무모한 일만 생각한다고 탓하

시지는 않을지 염려됩니다. 더위가 점점 다가옵니다. 몸 돌볼 여유도 없이 바쁘시겠지만 건강을 지키는 것이 최우선임을 잊지 마십시오. 안녕히 계십시오.

이 편지는 신념의 정치인 노무현의 본질을 그대로 드러내는 중요한 문건이다. 그는 원외인사로서도 여러 가지 역할을 수행하겠다고 다짐한다. 그러면서 동서화합을 위해 노력하면 오히려 낙선하고 실패하는 암담한 현실 속에서 그것을 어떻게 돌파할지 고민하는 모습이 그대로 드러나 있다. 그러나 핵심적인 말은 다음에 나온다. "저는 정치인이 해야 할 가장 중요한 과제가 국민들이 안도하고 미래에 대한 꿈과 희망을 가질 수 있도록 하는 것"이라는 말 속에 그의 정치인으로서의 최고 가치와 역할에 대한 답이 다 들어 있다. "미래에 대한 꿈과 희망"을 국민에게 주는 것, 참으로 중요한 정치리더의 임무이다. 오늘날 우리에게 이러한 꿈과 희망을 줄 정치인이 있는가. 그런 점에서 우리 모두가 노무현을 사무치게 그리워하고 있는 것이다.

박원순 | 희망제작소 상임이사

노 대통령과의 '작은' 인연

독립기념관장 임면에 얽힌 사연

나는 노무현 대통령과는 몇 가지 작은 인연이 있다. 〈대한매일〉
(현 서울신문) 주필을 마치고 대학에서 강의를 하고 있을 때인 2004년
가을, 독립운동 원로 몇 분으로부터 독립기념관장에 응모하는 것이
어떻겠느냐는 제안을 받았다. 관련법이 개정되어 기관장을 공모한
다는 것이었다. 신문사에 재직할 때 사외이사로 관계를 한 적이 있
었지만, 관장을 해보겠다는 생각은 전혀 없었다.

그런데 독립운동가 후손 중에서 관장을 임명하다보니 관리와 경
영에 문제가 많아서 공모를 통해 '유능한' 인재를 뽑기로 했다는 것
이다.

당시 노무현 정부가 공공기관의 경영합리화와 쇄신을 위해 대통
령이 임명하던 상당수의 자리를 공모제로 바꾸면서 독립기념관도
여기에 포함되었다.

첫 공모제로 바뀐 독립기념관장 후보에는 나까지 포함하여 15명
이 추천되어 광복회장, 사학계 원로 교수, 시민사회단체 대표, 기자
협회장 등 7명으로 구성된 심사위원회에서 경영구상 테스트와 면
접과정을 거쳐 내가 1순위로 다른 2명과 함께 대통령에게 추천되었

다. 2위와는 20점 이상의 점수 차이가 있었다.

내가 응모하면서부터 조·중·동을 비롯한 보수언론이 딴죽을 걸었다. 신문사 재직 중 언론개혁과 보수신문들의 문제를 신랄하게 파헤친 칼럼을 수차례 쓴 데 대한 보복성이었을 것이다. 특히 〈조선일보〉가 심했다. 그 이유는 사외이사로 재직 중에 일제 말기 친일지면을 찍은 〈조선일보〉의 윤전기가 독립기념관 전시실에 전시되어 있는 것은 선열들의 독립정신에 배치된다는 이유를 들어 이를 철거토록 결의했었다. 당시 시민단체들의 강력한 요구도 있었다. 이사회의 결의에서 철거를 결정한 것이다.

〈조선일보〉가 이를 내가 '주동'한 것으로 판단하고 벼르다가 공직후보로 나서니까 융단폭격을 가한 것이다.

뒷날 들은 얘기다. 노 대통령이 인사관계자들에게 "〈조선일보〉가 왜 저렇게 김삼웅 씨를 공격하느냐"고 묻자 "아마 〈조선일보〉 윤전기 철거 때문인 것 같습니다" 하니 대통령께서 "그렇다면 김삼웅 씨가 적격이네" 하면서 임명장에 사인을 했다고 한다. 이렇게 하여 나는 제7대 독립기념관장에 임면되었는데 조·중·동은 그 뒤에도 날선 인신공격을 멈추지 않았다.

4.3사건 사과에 얽힌 사연

나는 제주4.3사건 진상규명과 명예회복위원회 민간인 위원(위원장은 국무총리이고 정부 장차관 12명과 민간인 8명으로 구성)에 위촉되어 활동하고 있다.

2003년 10월, 공식적인 진상조사보고서를 확정하고 법규정에 따라 대통령께 보고하였다. 청와대에서 보고회의가 열렸다. 노 대통령은 위원들의 노고를 치하하는 말씀에 이어, 4.3발생 50주년에 대통령이 제주에 가서 국가공권력에 의한 무고한 민간인 학살에 대해 사과하는 방법을 강구하겠다고 하였다.

나는 발언권을 얻어 "제주 50만 도민들은 하루가 여삼추로 희생자들과 유가족에게 덧씌운 '폭도'의 누명을 벗고 명예회복을 원합니다. 서양 속담에 선행은 미루지 말라는 말도 있습니다. 또 그 사이에 선거가 있어 자칫 선거 이슈가 되면 제주도민들에게 또 한 번 아픈 상처를 덧나게 할지도 모릅니다"라고 말하고, 다른 위원들도 이에 동의했다.

내 말을 경청하던 노 대통령은 "김 위원님의 말씀이 옳습니다. 제가 미처 거기까지는 생각지 못했습니다" 하고 내 의견을 흔쾌히 받아들였다. 그리고 그해 10월 31일에는 제주를 직접 방문하여 국가를 대표해 제주 도민과 유족에게 공식 사과했다. 현대사의 가장 비극적인 매듭 하나를 풀어낸 것이다. 그 자리에서 노 대통령의 의견을 수용하는 열린 자세와 소탈한 성품 그리고 우리 현대사의 비극에 대한 인식 등을 지켜보고, 4.3의 원혼들도 이제 눈을 감고 안식할 수 있겠구나 생각했다.

국민 한 사람 한 사람을 배려하는 대통령

2006년 늦가을께다. 나는 일요일에 서울의 한 교회에서 예배를 보고 있는데 휴대폰이 쉴 새 없이 울렸다. 노무현 대통령이 독립기념관에 도착하셨다는, 직원의 숨넘어가는 보고였다. 사전에 아무런 연락도 없이 불쑥 찾아오신 것이다. 서울에서 천안까지 아무리 빨리 달려가도 시간 반은 걸릴 터이니, 내려가서 맞을 방법이 달리 없었다.

노 대통령은 경호원 몇 명만 대동하고 봉고차로 가족과 함께 독립기념관을 찾아 직원들의 안내로 2시간가량 전시실 등을 둘러보시고는 근처 식당에서 늦은 점심을 드신 후 서울로 올라가셨다고 했다. 미리 방문 소식을 알리면 지방 경찰과 공무원들이 휴일에 쉬지도 못하고 동원되는 불편함을 막으려는 배려였을 것이다.

다음날 청와대 비서관에게서 전화가 왔다. 잠깐 기다리라더니 노무현 대통령께서 전화를 바꿔 "관장님도 안 계시는데 불쑥 찾아가서 좋은 공부 많이 하고 돌아왔습니다. 관리가 퍽 잘되었더군요, 수고하세요" 하는 것이었다. 미처 상상하지 못한 전화이고 격려였다.

내가 노무현 대통령과 갖게 된 인연은 이것이 전부이다. 한 가지만 추가한다면 정부산하기관법의 개정에 따라 우수기관장은 1년 단위로 연장이 가능하도록 바뀌었다. 독립기념관은 2007년 경영평가에서 우수기관으로 선정되어 나는 임기가 1년 연장되었다. 노대통령은 2008년 2월 24일 퇴임하셨다. 나는 그날에 퇴임할 생각이었는데 그렇게 하지 못했다.

4월에 미국 캘리포니아 오클랜드에서 장인환·전명운 의사가 스티븐스를 처단한 100주년 국제행사를 독립기념관이 현지 교민들과 공동주최하는 행사와, 그곳 대학에서 학술심포지엄을 내가 주관하도록 돼 있었다. 주제 발표도 하고 인근 몇몇 한인학교와 자매결연을 맺는 행사 때문에 물러남을 미룬 것이 화근이었다.

이명박 정권이 들어서자마자 〈조선일보〉가 나에 대한 온갖 공격을 시작했다. 사설을 두 번이나 썼다. 나는 4월 말에 사직하고 서울로 돌아오면서 "곡쟁이가 상주보다 더 섧게 운다더니, 이명박 정권이 들어서자 〈조선일보〉가 더 설치는구나" 하는 생각을 떨치지 못했다.

노 대통령의 서거에 이르기까지 이들 신문의 행태를 지켜보면서 우리나라에서 가장 시급한 과제는 '언론 정화'임을 다시 한 번 절감하였다. 흔히 정치권력·검찰·보수언론이 합작하여 노 대통령을 서거에 이르도록 한 것으로 지탄한다. 나는 그 중에서도 보수언론의 분별없는 보도·논평에 가장 큰 책임이 있다고 본다.

당해보지 않은 사람은 저들의 분별없는 칼날이 얼마나 잔인한지 모를 것이다. 민주주의·인권·남북화해를 위해서는 언론개혁·언론정화가 무엇보다 시급한 과제다. 노무현 대통령께서도 저 세상에서 똑같은 생각일 것이다. 노무현 대통령의 영면을 기원한다.

'작은 비석' 하나의 의미

우리 역사에서 개혁·진보의 기치를 든 지도자는 살아남기 어려웠다. 장보고, 만적, 묘청, 신돈, 정도전, 조광조, 홍경래, 최제우, 전봉준, 김옥균, 김구, 조봉암, 장준하 등 모두가 참살당하거나 자결로 생을 접었다. 수구세력은 외세에는 빌붙어 강아지노릇을 하면서도 내부의 진보·개혁세력에는 사납게 물고 찢는 승냥이가 되었다.

노무현 대통령의 참담한 최후를 지켜보면서 한국 수구세력의 무자비하고 무분별한 권력행사, 수구신문들의 몰상식한 보도행태가 개혁을 지도하다 중절中絶한 노무현 대통령을 끝내 죽음으로 몰아간 것이 아닌가, 참괴함을 느낀다.

"우리 아이들에게 결코 불의와 타협하지 않아도 성공할 수 있다는 하나의 증거를 꼭 남기고 싶다"던 노무현 대통령의 선언은 수구 세력에는 도저히 '용납'할 수 없는 선전포고였을 것이다. 외세와 결탁하고 불의와 타협하면서 기득권을 유지해온 그들에게 '불의와 타협하지 않아도 성공하는' 사회란 얼마나 두려운 일이겠는가? 그래서 국민이 뽑은 대통령을 탄핵하고 퇴임 뒤에도 그의 존재와 가치와 기치를 짓밟고 제거하는 데 정치권력·검찰·족벌신문이 하나가 되었다.

가는 자여
당신의 눈은 태양으로 가라
그리고 당신의 기운은
바람 속으로 들어가라
하늘로 땅으로
제게 맡겨 뜻대로 가라
그렇지 않으면
물러가라
그리고 당신의
뜻에 맞거든
육신은 초목으로
갈지어다.

고대 인도의 시 〈리그베타〉의 내용이다. "삶과 죽음이 자연의 한 조각"이라면서 당신은 홀연히 떠나갔다. 육신은 태양, 바람, 하늘, 땅, 초목으로 돌아갔다. 저들의 바람대로 당신의 존재는 사라졌지만 당신이 추구하던 민주주의와 진보·정의의 가치는 영원히 이 땅의 민초들과 함께할 것이다.

나는 이제 가노라
인연을 타고 왔다가
인연이 다하여 가는 것이니
떳떳한 이치라 무엇을 슬퍼하랴.

불현듯 도선선사의 선시 한 대목이 떠오르는 것은 노무현 대통령의 유서에 나오는 "운명이다"라는 구절 때문이다. 당신은 수구세력이 만든 광폭한 지역주의와 독재의 유제와 싸우다가 '인연'이 다하여 떠나갔다. 명분과 절조와 대의를 위해 모든 것을 던질 줄 아는 힘, 그것이 진정 노무현의 본 모습이다.

가지 잡고 나무를 오르는 것은 기이한 일 아니나
벼랑에 매달려 잡은 손을 놓는 것이 가히 장부로다.

김구 선생이 스승 고능선의 가르침을 평생의 지침으로 여겼던 '대장부'의 길이다. 범인들이야 따를 일이 못될 터이지만, 지도자라면 벼랑에 매달려 손을 놓을 줄 아는 장부의 기개가 요구된다고 하겠다. 노무현 대통령은 그것을 보여주었다.

나는 에릭 홉스봄의 자서전 《미완의 시대》를 읽다가 대통령의 비보를 들었다. 이 책의 말미가 "집 가까운 곳에 아주 작은 비석 하나만 남겨라"는 유언과 맞물려 하염없이 김해 봉화마을 봉화산 부엉이바위를 바라보게 한다.

시대가 아무리 마음에 안 들더라도 아직은 무기를 놓지 말자.
사회의 불의는 여전히 규탄하고 맞서 싸워야 하기 때문이다.
세상은 저절로 좋아지지 않는다.

김삼웅 | 전 독립기념관장

외교 대통령, 노무현을 기리며

중국 베이징에서 국제회의 참석 중 노무현 전 대통령의 서거 소식을 접했다. 일정을 중단하고 바로 인천행 비행기에 몸을 실었다. 만감이 교차했다. 2002년 대선 과정에서 노 전 대통령과 연을 맺은 이래 그와 가졌던 수많은 공·사석의 외교안보 현안 토론들에 대한 기억이 되살아나면서 더욱 그랬다.

2차 북핵위기와 자이툰 부대의 이라크 파병 결정을 둘러싸고 고뇌하던 지도자 노무현의 모습, 일부 참모들의 반대에도 불구하고 동분서주의 행보로 반기문 당시 외교통상부 장관을 유엔 사무총장에 선출시키고 반가워하던 그의 환한 웃음이 아직도 눈에 선하다. 그리고 비장한 각오로 2007년 남북 정상회담을 준비하고, 10.4 정상선언을 성사시킨 후 감회에 젖던 노 전 대통령, 그는 분명히 성공한 외교 대통령이었다.

그는 외교안보의 큰 그림을 그릴 줄 아는 타고난 전략가였다. 한반도의 평화와 번영을 협력과 통합의 동북아라는 큰 그림 속에서 모색했다. 그 과정에서 유럽 통합 모델을 면밀하게 비교검토하고 다자협력을 기본 축으로 하는 동북아 공동체 방안을 제시했던 것이다. 이는 세력균형 결정론이라는 냉전적 사고를 뛰어넘어 한국 외교의 새로운 지평을 여는 발상이었다.

북한과 주변 4강에 대한 정책도 이런 대전략 아래 세워졌다. 미국과 일본에서 이탈하여 중국에 편승하는 섣부른 정책으로 매도되었던 균형자론도 이 대전략의 큰 틀에서 만들어졌다. 노 전 대통령은 한국이 군사력과 같은 물리력에 의한 경성 균형자hard balancer가 될 수는 없지만 역내 국가 모두와 선린관계를 유지하면서 다자협력을 주도하는 연성 균형자soft balancer 구실은 할 수 있다고 믿었던 것이다. 미래를 보고 여는 정책적 포석이었다.

노 전 대통령은 결코 반미친북을 표방하는 지도자가 아니었다. 그는 한-미 동맹을 단기적으로 우리의 생존을 담보해주는 필수적 전략 자산으로 평가했다. 그래서 이라크 파병, 용산기지 평택 이전, 반환 미군기지 환경오염 문제 등 중요한 한미 현안들을 과감히 해결했던 것이다. 미국이 노 전 대통령을 높게 평가하는 이유도 여기에 있다. 그러나 중장기적으로는 한미 동맹이 한반도와 동북아의 영속적 평화를 가져오기는 힘들 것으로 보았다. 왜냐하면 동맹은 본질적으로 공동의 적과 위협을 전제해야 하기 때문이다. 이런 안보 딜레마에서 벗어나기 위해 한-미 동맹의 기조 아래 유럽과 같은 다자안보협력체제를 동북아에도 구축해야 한다고 믿었던 것이다.

임기 내내 악몽처럼 노 전 대통령을 괴롭혔던 2차 북핵위기만 해도 그렇다. 그의 예지, 담력, 그리고 결단이 아니었다면 한반도는 군사적 충돌이라는 재앙을 피하기 어려웠을 것이다. 북에 대해 군사행동도 불사하겠다는 미국에 정면으로 맞서 6자회담을 통한 협상타결 방안을 도출했고, 방코델타아시아BDA 문제로 6자회담이 파국의 위기에 몰리자 정상회담의 의전 관행을 깨면서까지 당시 부시 미국 대통령을 압박해 사태의 반전을 가져왔다. 그리고 2006년 10월, 북의 핵실험 직후 대북 제재방안을 논의하러 방한했던 당시 라이스 국무장관에게 미국 책임론으로 응수해 부시 행정부의 정책 전환을 유도하기도 했다. 승부사의 기질로 위기를 극복했던 것이다.

노 전 대통령이 떠나간 후에 그의 외교적 업적이 더 커 보인다. 왜 그럴까. 지난 정부의 외교 구상을 전면 부정하고 큰 그림 없이 즉흥적 임기응변 외교로 일관하는 동시에, 북한과의 무모한 대결을 통해 우리의 안보를 위태롭게 하는 현 정부의 암울한 행보 때문이 아닐까.

문정인 | 연세대학교 정치외교학과 교수 · 전 동북아시대위원회 위원장

'무대 앞' 과 '무대 뒤' 의 말이 다르지 않은 분

첫날 내려갔다가 직장 때문에 어제 새벽에 먼저 올라왔습니다. 다른 참여정부 전 직원들도 다들 급하게 봉하마을로 모였습니다. 워낙 갑작스러운 일이라 경황이 없었지만 그래도 치러야 하는 일이라 변변히 울지도, 헌화도 분향도 못하고 바쁘게 일했습니다. 끝까지 일을 참 많이 시키시는 대통령이십니다.

분향소를 지키면서 일찍 찾아온 많은 분들의 얼굴을 뵈었습니다. 제가 딸아이가 있어서 그런지, 아이들과 함께 온 분들을 보면 유독 눈물이 더 많이 흘렀습니다. 지체장애로 보이는 아들을 안고 추모한 분도 계시고 무슨 사연이 있는지, 하염없이 울던 외국인 노동자도 계셨습니다. 묵념을 마치고 돌아가시면서 상주로 서있는 참여정부 보좌진들에게 "대통령 돌아가시게 한 당신들은 벌 받을 것" 이라며 비수 같은 말을 남기신 분도 계셨습니다. 맞는 말입니다.

선명하게 기억나는 분이 있습니다. 작은 체구의 여자 분이셨습니다. 상주들에게 체구만큼이나 가녀리고 떨리는 목소리로 하지만 또박또박 "잊지 않을게요" 하고 가셨습니다. 그 한마디가 아직도 가슴을 울립니다.

저 같은 실무진 입장에서 기억하자면, 정말 일을 많이 시키신 대통령이셨습니다. 한 행사를 실무주관하면서 한 달 동안 7킬로그램이 빠진 적도 있었고 일주일에 나흘 밤을 새기도 했습니다. 정말 정말, 내 용량으로는 더 이상은 못하는데 하고 생각할 정도의 상황을 체험하기도 했습니다.

(혹여 이전 정부에서 일했던 분들에게 누가 되고자 하는 말이 아니라) 그때 계셨던 누군가에게 들어보면 4년차 말, 5년차 임기 말이 되면 기본적인 업무 외에는 별 일이 없었답니다.

퇴직 후 자신의 진로를 모색하거나 더러 '딴 짓' 할 여유도 있었답니다. 저도 5년차에 들어서서는 '퇴근 후에 평소 해보고 싶었던 색소폰 학원이나 다녀볼까' 하는 순진한 계획을 세웠었습니다. 정말 순진한 생각이었습니다.

퇴임을 앞둔 2008년 1월, 차기 정부와 정부조직 개편 논란이 불거지면서 이에 대한 참여정부의 입장을 자료로 정리해 알리자고 했을 때는 뒷목이 돌덩이가 되는 줄 알았습니다. 어느 조직이나 일하는 과정은 비슷해서 위에서 지시가 나오면 계통을 타고 내려와 실무진에게 떨어지고 다시 계통을 타고 올라가기 마련입니다. '곧 나가는 마당에 이렇게까지 일을 시켜먹어야 하나' 싶어 속으로 많이 툴툴댔습니다.

그래도 했습니다. 그래도 해야 할 일이라고 생각했으니까요. 안하면 당신께서 또 다 짊어지시고 나섰을 테니까요. 잘은 모르지만, 보좌진들 다 그런 마음이었을 겁니다.

또 다른 이런저런 일들로 이·취임식을 앞둔 마지막 주까지 야근하고, 짐 싸고 나가는 금요일까지 일처리하고 나왔습니다. 그냥

© 사람사는 세상

권양숙 여사 환갑 때

'허허' 웃으면서 했습니다. 해야 할 일 미루지 않고 먼저 겪은 거라 생각합니다.

당신께서 벌여놓은 일, 남겨놓은 숙제들 우리 사회는 결국 다시 맞닥뜨리게 될 것입니다.

제기했지만 그냥 '씹어버리거나' '퉁쳤던' 문제들도 다시 직면하게 될 것입니다. 그때 사람들은 다시 곱씹고 고민하고 공부하게 될 것입니다. 먼저 일한 사람으로서 저는 그렇게 생각하고, 그렇게 위안 받습니다.

이미 당신에 대한 평가와 추억들이 넘쳐나고 있습니다. 제가 거기에 거창한 무언가를 더할 생각도, 그럴 능력도 없습니다. 다만 하나만 말씀드리고 싶습니다.

비교적 다른 행정관들에 비해 비공개, 비공식 석상에서 대통령님을 뵙고 말씀을 들을 기회가 많았습니다. 똑같았습니다. 공개석상에서 하는 말씀이나 비공개석상에서 하는 말씀이 다르지 않았습니다. '저런 말씀은 여기서만 하시고 공개석상에서는 안 하셨으면 좋겠는데' '괜한 시비만 불러올 텐데' 싶은 말씀도 나중에 공개석상에서 그대로 하셨습니다.

발언에 대한 평가나 시비를 떠나, '무대 앞'과 '무대 뒤'의 말이 다르지 않은 분이셨습니다. 그러니까 당신이 아는, 당신이 접한 그 노무현이 그 노무현입니다.

잠시 참여정부 청와대에 몸담았던 저는 물론이고 수십 년간 대통령님을 모셨던 분들이 아는 노무현과도 다르지 않을 것입니다. 적어도 지금 노무현을 생각하고 추모하는 여러분들이 아는 노무현이 바로 그 노무현입니다.

앞과 뒤가 다르지 않은 사람, 그런 정치인이나 대통령을 우린 또 언제 만날 수 있을까요.

제대로 통곡이나 하면 문득문득 치밀어 오르는 눈물이 없어질지 모르겠습니다. 마지막까지 저를 일하게 했던 업무 가운데 하나가 참여정부 5년을 기록하는 단편 동영상 제작이었습니다. 그저 참여정부 역사의 기록이라고 생각했던 그 동영상이 이렇게 빨리, 당신의 추모영상이 되리라곤 상상도 못했습니다. 정말, 어쩌다가 여기까지 온 건가요.

거창한 거 바라지 않았습니다. 당신은 늘 봉하마을에 계실 테니까. 언젠가 느긋하게 제 가족들 데리고 내려가면 "자네 오랜만이네, 딸아이하고 부인이신가 보지?" 이렇게 아는 척 한번 해주시고 사진 찍어주시면 그것으로 족하다고 생각했습니다.

정말 거창한 바람이 아니라고 생각했는데 이제 그마저도 바랄 수 없게 됐습니다. 가슴이 아픕니다. 생각하면 할수록 너무 아픕니다.

2005년 4월부터 참여정부 청와대에서 대통령님을 모셨습니다. 커가는 제 딸아이에게 아빠는 그때 청와대에서 노무현 할아버지를 모셨다고, 아빠가 모신 대통령은 노무현 대통령이라고 자랑스럽게 얘기할 것입니다. 그렇게 할 수 있게 해주셔서 정말 감사드립니다.

'하늘에서도 우리나라 잘 지켜주세요' 이런 말 못 드리겠습니다. 많은 일을 하셨고, 너무 많은 일을 겪으셨습니다.

가셨으니, 이제 그만 편히 쉬십쇼. 부디 편히 쉬십쇼.

김상철 | 전 청와대 행정관

새 아침은 죽음의 묘지 위에서 열린다

우리의 죄목은 늘 불가능한 꿈을 꾼다는 것이었다. 80년대에 우리가 하는 일에 가능성이 있느냐고 한 사람이 물었다. 그때 "들판에 홀로 핀 들국화를 외롭다고 노래하는 것은 시가 아니듯, 가능성이 있다고 저항하는 것은 기회주의자의 처신이다. 우리는 불가능하기에 그 꿈을 향해 우리를 던진다"고 대답하였다. 우리는 그 꿈을 이루기 위해 눈부시고 환한 길을 버리고 어두운 가시밭길을 택하였다. 우리라고 권력과 자본과 명예가 주는 달콤한 인생의 환희를 모르는 것이 아니다. 다만 그 길이 우리가 이 땅의 사람으로서 갈 길이라 생각하였기에, 그 꿈을 버리라고 채찍질을 하고 빨갱이라 매도하고 몸을 가두고 고문을 하고 죽음으로 위협해도 꿋꿋하게 그 길을 걸었다. 우리는 돈도, 총도, 정보도, 권력도 없었지만 그 모든 것을 갖춘 이들은 우리를 늘 두려워하였다. 한 명의 열 걸음이 아니라 열 명이 함께 한 걸음을 걸을 때 총을 녹이고, 한 명의 꿈이 열 명으로 전염될 때 불가능이 가능으로 바뀜을 그들은 잘 알았기 때문이다.

노무현, 그는 불가능한 꿈을 꾸는 자의 짱이었다. 강력한 군대와 정보부를 가진 독재정권에 맞서서 가난하고 억압받는 자의 인권을 외쳤고, 금강석보다 더 견고한 지역주의에 틈을 내고자 온몸을 던졌고, 검찰과 족벌언론, 골통 보수와 정면으로 맞짱을 떴다. 그의 무기는 도덕성과 신념! 그 두 가지만으로 그는 대통령에 오르는 기적을 이루어냈다. 그날, 핍박받고 가난한 삶을 살던 이들은 불가능한 꿈이 이루어지리라는 기쁨에 환희의 눈물을 흘렸다. 그가 그 자리에서 쫓겨나려는 날, 촛불을 들고서 열 사람이 꾸는 꿈이 얼마나 아름답고 강할 수 있는지 보여주었다.

엠비MB 집단은 촛불이 무서웠고 그를 죽여서만 꿈을 사라지게 할 수 있다고 생각하였다. 어느 날 그와 촛불을 죽이는 것이 총과 칼이 아님을 깨달은 그들은 도덕성에 흠집을 내기 시작하였고 그는 결국 죽음을 맞았다. 그의 죽음이 정치검찰과 족벌언론과 엠비가 공모한 정치적 타살임을 우리는 잘 안다. 하지만, 부엉이바위에 몸을 던진 자는 바로 모든 사람이 사람답게 사는 세상의 꿈을 꾸던 주체로서 노무현이었다. 아폴론의 신탁대로 모든 운명이 이미 결정된 삶이었지만, 내 두 눈을 찌르는 것은 신이 아니라 정녕 인간인 나의 손이라고 외친 오이디푸스처럼.

파괴가 창조이듯, 죽음은 삶이다. 인간은 자신이 언젠가 죽을 것이라는 유한성을 인식할 때 어떻게 살 것인지 성찰하며 실존의 삶을 산다. 시한부 선고를 받은 이가 남은 1분 1초를 치열하게 살아가고 온몸을 던져 사랑하듯, 죽음에 다가갈수록 삶은 의미로 반짝인다. 김주열 열사의 죽음이 4월 혁명을 낳고 시민군의 꽃비가 광주를 절대공동체로 만들고 조국을 민주화시켰듯, 모든 새로운 아침은 죽음의 묘지 위에서 문을 연다.

자유무역협정FTA이나 이라크 파병, 신자유주의식 정책을 추진할 때 꿈의 포기를 비판했던 우리는 그가 거룩하게 죽어서 산 자임을 알기에 그를 추도한다. 몸은 죽었지만, 그가 추구하였던 정신은 빛이 되어 어두운 이 땅을 밝혀주고 화살이 되어 수많은 선한 이들을 죽음으로 몰고 가는 자들의 가슴에 꽂힐 것을 확신하기에 우리는 그를 보낸다. 이제 정의와 평등을 향한 고통과 번민을 덜고 고향에서 매일이 좋은 날이라며 편안히 쉬소서. 대신 우리는 당신께서 미처 이루지 못한 불가능한 꿈의 꽃을 당신의 무덤 위에서 피우오리다. 어두울수록 별은 맑게 반짝이고, 진정한 패배는 역사 안에서 승리로 잉태한다.

이도흠 | 한양대학교 국어국문학과 교수

덕수궁 돌담길의 초혼招魂

덕수궁 돌담길을 따라 줄지어선 사람들의 행렬이 꽤 길다. 땅거미가 깔리기 시작해도 그들은 떠나려 하지 않는다. 그들에게 어둠은 촛불을 밝혀야 할 때임을 알리는 신호에 지나지 않는 것 같다. 슬픔과 원망, 안타까움과 간절함, 그리고 누군가를 향한 노여움이 뒤섞인 복잡한 감정이 그들을 사로잡고 있지 않다면, 그렇게 오랜 시간을 견디지 못할 것이다. 오직 꽃 한 송이를 바치기 위해 돌담길에서 자기의 소중한 시간을 아낌없이 소비하는 그들의 정서는 단순한 의례 행위를 넘는다. 무엇이 시민들을 거리로 불러냈을까.

말을 쉽게 하는 이들은 노무현 5년의 치적을 칭송한다. 그러나 그런 장의용 언어는 일주일치도 유효하지 않은 너무 허허로운 것이어서 그의 영혼을 위로해 줄 수 없다. 사실 그의 5년 집권에 대한 평가는 냉정했다. 그에 대한 기대만큼 그를 평가하는 기준이 높았던 결과이기도 했을 것이다. 그조차 마지막 글에서 자신이 정치적 상징이나 구심이 되는 걸 감당할 수 없다며 세평을 수긍했다. 자기 부정이었다. 대의에 자기 존재 전체를 던져왔던 그에게 자기 부정은 죽느냐 사느냐의 문제였다. 결국, 그는 '나를 버려 달라'고 호소했다. 벼랑 끝 나뭇가지에 매달려 있기보다 잡은 손을 놓는 쪽을 택했다. 그리고는 감히 그걸 운명이라고 했다. 여백 없는 종말, 찬란한 소멸이었다.

죽음으로써 살아난 '서민의 벗'

그는 유년의 추억이 서린 바위에 올라 다시 한 번 자기를 던짐으로써 자신을 옥죄던 통치자로서의 딱딱한 껍데기를 깨버리고 그 안에 갇혀 있던 맨몸의 인간 노무현을 드러냈다. 그 드러냄을 통해 비로소 그는 자신을 해방했다. 집권 5년이 노무현의 중요한 일부인 것은 분명하지만, 평생 실패의 짐을 져야 할 5년이 전부는 아니었다. 5년보다 더 소중한 추억을 그는 간직하고 있다.

그것은 바로 기득권의 일부였을 때가 아니라, 기득권에 도전했을 때, 권력에 안주했을 때가 아니라 세상의 부름을 받고 어두운 곳에 있는 이들, 고통 받는 이들을 위해 떨쳐 일어섰을 때, 자본가의 친구였을 때가 아니라 가난하고 불쌍한 자의 이웃이었을 때, 이제 말할 자격을 잃어버렸다고 자책했던 민주주의·진보·정의라는 가치를 온 몸으로 껴안았을 때의 바로 그 아름다운 시절들이다. 그러나 시민들은 추억들이 과거에 묻히기보다 재현되기를 원했다. 그것이 진정 그의 운명이었다. 그러기 위해 그는 죽음으로써 살아나야 했다.

대한문 앞에 이런 글귀가 있었다. "가난한 자들의 친구, 서민의 수호자." 그의 성공과 실패의 본질을 말해준다. 가식적인 찬사는 그를 거짓되게 할 뿐이다. 그의 실패에 깊이 절망해본 자들이야말로 진정으로 그의 고뇌, 그의 슬픔에 닿을 수 있다. 그를 정당하게 비판했던 자만이 그의 죽음의 의미를 읽어낼 수 있다. 그를 올바로

비행기안에서

미워한 자만이 그를 사랑할 수 있다. 그의 돈 많은 친구나 한 자리
씩 차지했던 고위관료, 그의 은혜를 입은 지인들이 진정 노무현의
가치를 사랑했을 것 같은가. 그들이 이 거리에 감도는 특별한 기운
을 느낄 수 있을 것 같은가. '빽' 없고 돈 없고 힘없는 이들이야말로
진실로 노무현을 사랑한 이들이었지만, 그들은 정작 그가 죽어서야
그를 되찾을 수 있었다.

　대한문 한 모퉁이에서 나지막하고 느린 단조의 읊조림이 들려왔
다. 소리가 나는 곳으로 사람들이 모여들었다.

　"솔아 솔아 푸르른 솔아 / 샛바람에 떨지 마라 / 창살 아래 네가
묶인 곳 / 살아서 만나리라." 몇몇은 수건을 꺼내 눈가를 닦았다.

그렇지 않은 이들은 속으로 울었다. 연대와 공감, 연민과 건강한 분노의 이름으로 그가 살아 돌아왔다. 그의 심장은 지금 이 거리에서 고동치고 있다. 다시는 우리의 벗을 그들에게 빼앗기지 않겠다는 결의에 찬 시민들이 잃어버린 꿈을 찾으러 거리로, 거리로 나오고 있다.

수백만의 노무현으로 부활하자

그래, 다시 시작하자. 무엇이 잘못되었기에 우리가 이 길로 들어섰던 것일까. 이 '살인殺人의 권력' 앞에 이렇게 초라하고 무기력해진 것은 무슨 까닭일까. 오직 순수와 정의의 뜨거움으로 달리던 그 많던 노무현들은 다 어디로 간 것일까. 시대의 요청에 기꺼이 응답하던 열정들은 어디로 갔나. 국가는 다시 압제의 도구로 변했고, 정치는 작동하지 않고 시민사회는 죽어가고 있다. 하나의 노무현이 죽어 수만, 아니 수백만의 노무현으로 부활하는 대반전을 맞이하자. 그래서 피 끓는 청춘의 시대로 돌아가자. 오, 정녕 꿈인가?

이대근 | 〈경향신문〉 정치·국제에디터

어리석다, 향불이 곧 촛불인데…

1

어제 차 안에서 우연히 들었습니다. 한 라디오 프로그램 청취자가 보낸 큰스님에 대한 얘기였습니다.

자식을 잃은 어미처럼 크게 상심한 사람이 찾아왔을 때 큰스님들이 보이는 모습에 공통점이 있다고 합니다. 아무 얘기도 하지 않는다고 합니다. 어설프게 '좋은 말씀' 하려 하지 않고 그냥 듣는답니다. 슬며시 빈 찻잔에 차를 따라주거나 밥을 준다고 합니다. 목이 마를까봐, 허기가 질까봐 그렇게 한답니다. 그렇게 해서 맘껏 토해내게 한답니다.

큰스님들을 바라볼 필요까지 없습니다. 일상에서 겪는 일이기도 합니다. 아파하는 친구에게 격려 또는 충고의 한마디를 던지는 게 부질없다는 걸 일반인들은 경험으로 알고 있습니다. 그냥 들어주는 것, 그냥 옆에 있어주는 게 최선의 태도라는 것을 체득하고 있습니다.

큰스님도 알고 일반인도 압니다. 토해내는 이도 알고 듣는 이도 압니다. 가슴에 묻어두면 안 된다고, 토해내게 해야 한다고, 그렇게 해서 가슴에 응어리가 맺히는 것을 막아야 한다고 다들 알고 있습니다.

2

어리석습니다. MB정부는 정말 어리석습니다. 정치가 인생사 이치와 다르지 않다는 걸 깨우치지 못합니다.

틀어막으면 맺힌다는 사실을 알지 못합니다. 그러면 추모하는 마음에 미워하는 마음이 포개진다는 사실을 이해하지 못합니다. 그러면 노무현 전 대통령은 국민 가슴에 묻히고, 이명박 대통령은 국민 눈 밖에 난다는 사실을 깨우치지 못합니다.

틀어막아봤자 소용없다는 사실을 알지 못합니다. 향불이 곧 촛불이라는 사실을 이해하지 못합니다. 촛불은 굵고 짧게 타오르지만 향불은 가늘고 길게 타오른다는 사실을 깨우치지 못합니다.

3

압니다. 상처 받기 싫어서 그런다는 걸, 촛불에 데일까봐 겁나서 그런다는 걸 압니다. 하지만 부질없습니다.

이미 데였습니다. 촛불이 아니라 향불에 이미 화상을 입었습니다. 다른 건 몰라도 후임자의 도리, 정부의 도리는 빨간 불꽃에 검게 그을렸습니다.

인정해야 합니다. 데였다는 사실을 인정해야 합니다. 그래야 막을 수 있습니다. 화상의 기운이 살갗을 파고드는 걸 막을 수 있습니다. 부풀어 오른 물집이 안으로 스며들어 고름이 되는 걸 막을 수 있습니다.

방법이 따로 없습니다. 국민 가슴에 맺히는 응어리를 풀어주는 겁니다. 보내는 자의 마지막 도리를 다 하는 겁니다.

하지만 그렇게 하지 않습니다. MB 정부는 추모객을 덕수궁 돌담 밑으로 밀고, 서울광장을 경찰 버스로 둘러칩니다. 그렇게 한켠으로 내몰면서 사그라지기를 기다립니다.

어리석습니다. MB정부는 정말 어리석습니다. 그렇게 하면 사그라지는 게 아니라 맺힙니다. 국민이 덕수궁 돌담 밑으로 내몰리는 게 아니라 MB정부가 서울광장에 갇힙니다.

김종배 | 시사평론가

한 사람만이 울 수 있다

노무현 대통령이 떠났다. 더불어, 한 시대가 막을 내렸다. 지난 한 주 온 나라가 슬픔에 잠겼다. 100만 명이 봉하마을을 찾았다. 수백만 명이 전국 곳곳의 분향소에서 조문했다.

그를 떠나보낸 다음에야 우리가 느끼는 이 슬픔과 충격의 실체를 어렴풋이 알 것 같다. 덕수궁 앞에 마련된 시민 분향소를 찾아 네댓 시간을 줄 서서 기다리는 시민들은 말이 없었다. 빈 시청광장을 경호하기 위해 삼엄하게 포진한 경찰 버스를 바라보며 사람들은 입술을 깨물었다. 덕수궁 귀퉁이 노상에서 조문객을 맞이하는 그의 영정 앞에 이르러 비로소 우리는 그가 선, 그가 섰던 자리를 확실히 보았다.

사람들은 그를 승부사라고 말했으며, 그의 죽음을 그가 던진 마지막 승부수라고 말하는 사람도 있었다. 그러나 아니다. 그는 우리 사회의 주류가 만든 내비게이션의 안내에 따르지 않고 자기 자신의 길을 간 비주류였을 뿐이다. 주류 사회의 내비게이션은 그럴 때마다 경로를 이탈했다고 반복하며 유턴을 요구했다. 승부를 청한 것은 죽어서도 광장을 차지하지 못하고 주변부로 밀려나야 한 그가 아니었다.

우리는 이제 아무도 모르지 않는다. 노무현 대통령이 목숨을 던져서 증명하려고 했던 것은 자신의 진정과 결백이 아니라 '불의와 타협하지 않고도 성공할 수 있다는 것을 증명해주었던' 한 시대의 진정성이었다. 1980년대에 장전된 더 나은 가치를 위한 용기와 희생의 에너지는 마지막 열정으로 노무현의 시대를 만들었지만 더 이상 그것을 밀고 나갈 여력이 없었다.

노무현 시대에 출현한 새롭고도 성숙한 에너지가 있다면 그것은 강금원 회장이다. 김대중-노무현 정권을 거치면서 많은 사람들이 지난 시대에 지불한 채권을 회수해갔지만 여전히 역사를 위해 자기를 희생하고 헌신하는 사람은 아주 드물었다. 그 아주 드문 사람이 강금원이었다.

전라도에서 태어나 공고를 졸업하고 부산에서 사업을 했던 그는 지역 차별을 뼈저리게 체험했다. 정치인 노무현이 편승하기만 하면 되는 국회의원 자리를 버리고 지역주의와 정면대결을 선언했을 때 그는 노무현을 찾아가 후원 의사를 밝히며 이렇게 말했다.

"나는 정치하는 사람에게 눈곱만큼도 신세질 일이 없는 사람입니다."

그날 이후 그는 노무현을 변함없이 후원했다. 노무현으로부터 사랑이 아닌 존경을 받았던 그는 노무현 대통령의 재임 기간에 단 한 치의 사업도 확장하지 않았다. 그가 권력을 업고 하려들면 재벌기업으로 발돋움하지 못할 이유도 없었다. 그러나 그는 이권을 챙기는 대신 자기 재산으로, 노무현을 위해 뛰다가 백수가 된 사람들의 생계비를 일일이 지원해주었다. 잘못된 돈을 받고 사고 칠까봐. 노무현 대통령의 임기 말에 강금원 회장은 이렇게 말했다고 한다.

"퇴임 후 대통령 옆에 누가 남아 있는지 두고 봐라. 지금은 모두가 다 인간적 의리를 지킬 것처럼 말하지만 그런 사람은 그리 많지 않을 것이다."

강금원 같은 이가 열 명만 있었어도 노무현 정부가 능멸을 당하지는 않았을 것이다. 그와 같은 이가 백 명만 있었어도 세상이 더 나아질 수 있을 것이다. 정의를 위해 손해를 감수하며 신의를 저버리지 않는 이들만이 더 나은 세상을 만드는 에너지를 생산할 수 있기 때문이다. 노무현 대통령이 떠난 어제, 강금원 회장 외에 아무도 울지 않았기를 바랐다.

이 참극에 대해 책임이 있는 이는 자책감에 빠진 국민들에게 사과하고, 더 나은 세상이 되어야 한다고 생각하는 사람들은 그것을 위해 무엇을 해야 하는지 생각하고 또 생각하는 일이 이제 우리 앞에 남아 있다.

방현석 │ 소설가

〈상록수〉를 들으며

   28일에서 29일로 넘어가는 자정, 누군가의 제안으로 〈상록수〉가 전국에 울려 퍼졌다. 29일 영결식이 열린 경복궁에서도, 노제가 열린 시청광장에서도 마찬가지였다. 이 노래는 김민기의 1977년 노래다. 음악 활동을 금지당한 김민기가 제대 뒤 부평 근처의 공장에서 일할 당시, 동료들의 합동결혼식에서 축가로 불리며 세상에 처음 모습을 드러냈다. 이듬해 양희은의 앨범에 〈거치른 들판에 푸르른 솔잎처럼〉이란 이름으로 실렸고 1993년 김민기가 오랜 침묵을 깨고 내놓은 앨범에 〈상록수〉로 다시 빛을 봤다. 부평의 작은 공장에서 시작된 이 노래는 1998년 외환위기를 극복하자는 메시지를 담은 공익광고에 쓰이면서 캠페인 송으로 거듭났다. 그리고 이제, 떠나간 한 남자를 상징하는 노래가 됐다. 그를 향한 전 국민의 애도 노래가 됐다.

   2002년, 대선 광고에서 서툰 솜씨로 기타를 치며 〈상록수〉를 담담히 부르던 모습을 기억한다. 그때도 이미 충분히 인상적이었다. 대선 후보로 나온 정치인이 민중가요와 대중가요의 경계에 있는 노래를 부른다는 사실 때문만은 아니었다. 목소리에는 정치인의 엄숙주의도, 프로 뮤지션의 표현력도 없었다. 음정도 살짝살짝 엇나갔다. 그러나 소박한 진심이 있었다. 그 목소리는 한 음 한 음, 어설피 코드를 짚고 줄을 뜯는 손과 함께 이 땅의 대선 광고에서 볼 수 없었던, 또한 누구도 기대하지 않았던 어떤 순간을 만들어냈다.

그걸로 끝이었다. 그는 대통령이 됐다. 모든 현실이 이미지와 일치하는 건 아니었다. 현실은 종종 기대를 배반했다. 대통령으로 있던 5년 동안 그는 다시 〈상록수〉를 들려주지 않았다. 어디선가 불렀을지는 모르겠다. 그러나 들리지는 않았다. 정치는 무관심의 대상이었다. 정치가 없어도 어쨌든 잘살 수 있었다. 올라가는 주가와 불어나는 펀드가 정치보다 훨씬 짜릿했다. 누군가는 폭등하는 아파트 가격에 큰 웃음을 짓기도 했을 것이다. 2002년 연말을 들뜨게 했던 정치의 짜릿함을, 욕심의 파도가 순식간에 휩쓸고 갔다. 그리고 신자유주의의 욕망은 이명박을 대통령으로 만들었다. 2008년의 대선 가도에는 〈상록수〉 같은 노래 대신, 이명박 찬양 메시지로 개사된 온갖 유행가들만 나부꼈다.

대통령 하나 바뀌었을 뿐이다. 존재했으되 활용하지 않았던 사회적 공론장은 촛불이 지나간 후 탄압의 대상이 됐다. '국민 스포츠' 였던 대통령 씹기가 눈치와 울화의 대상이 됐다. 신자유주의적 욕망이 만들어낸 이 정부는 기득권의 탐욕만을 위해 존재할 뿐이다. 상록수가 시든 자리에 돈이 열리는 나무가 심어졌다. 우리에겐 출입이 금지된 울타리가 둘러진 채. 노무현 전 대통령이 떠나던 날, 경복궁 들머리에서 노란 손수건마저 압수당하던 날, 시청 앞에서 다시 〈상록수〉를 불렀다. 중간 중간 자꾸 울컥했다. 그가 더는 여기에 없어서. 그가 다스리던 세상은, 그래도 꽤나 살만했던 세상이었구나 싶어서. 그런 세상을 다시 만나기 위해 얼마나 더 몹쓸 꼴을 봐야 하나 울분이 터져서. 어설픈 기타 연주가 그립다. 담담한 노랫소리가 그립다. 민주주의가 무심히 곁에 있던 세상이, 눈물 나게 그립다.

김작가 | 대중음악평론가

조금 더 뻔뻔했으면… 바보 노무현

1990년 대 초. 꽤 큰 학내(덕성여대) 집회였다. 평소 학교 문제와 사회 문제에 발언을 많이 하시는 교수님이 개악된 사학법의 적용을 받아 재임용에 탈락을 했고 그 문제로 학내에는 교수님 지키기 투쟁이 꽤 길게 시작되었다. 그래서 투쟁기금 마련과 이 일을 알리기 위한 대규모 문화행사 겸 집회가 열렸고, 당시 학보사 문화부 기자였던 나는 집회 취재를 위해 분주히 뛰어다녔다.

행사가 시작되고 참석한 재야 문화계 인사들 소개가 있었다. 그때 갑자기 단상에 초대하지 않은 한 사람이 나타났다. 노무현이었다.

"아니, 왜 저는 초대해 주시지 않은 겁니까? 그래서 이렇게 표 사서 찾아왔습니다."

예의 그 투박한 경상도 사투리가 섞인 말투로 인사를 하며 직접 산 티켓을 흔들고 있었다.

"지금 이 싸움은 한 학교의 싸움이 아닙니다. 사회구조의 모순

속에서 파악되어야 합니다. 단기전이 아닌 사회 변혁을 향한 큰
싸움 속에서 이해하세요."

현직 국회의원치고 꽤 과격한 발언이었다. 당시 그는 잘 나가는
국회의원이었다. 인권변호사에서 제도권 정치로 들어온 청문회 스
타였고, 특유의 소신 있는 행보와 열정적인 행동으로 뉴스의 중심
에 자주 섰던 정치인이었다.

그런 사람이 한 대학교의 문화집회에(물론 당시 사학법 개악은 작은 문제
가 아니었다. 이후 노무현은 대통령이 되어 부패할 대로 부패한 사학법에 칼을 댔고 사
학계의 기득권층과 부단히도 부딪쳤다) 스스로 찾아오다니 참 특이했다.

대학 문화집회에 자진해서 찾아온 국회의원 노무현

그때 단상에 나타난 노무현을 보고 나는 열광했다. 평소 노무현
의 행보를 보며 그가 보여주는 감동적인 연설과 약자 편에 서는 모
습을 보고 은근 '팬'이 되었던 상태였기 때문이었다. 비록 제도권
정치인이었지만!

집회를 마치고 총총 학교를 빠져나가는 그를 잡았다. 물론 학보
사 기자로 공식적이지만, 사심 가득한 인터뷰 요청이었다. 하지만
사적으로 찾아온 자리라며 극구 거절했고 수행원들이 가로막았다.
그래서 이번엔 사적으로 몇 가지 물을 것이 있으니 시간을 내주셨
으면 좋겠다고 청했다(지금의 나 같았으면 못했을 텐데, 그 시절 나 꽤 당돌했네).

"그럴까요? 그럼 차 있는 곳까지 슬슬 걸으면서 얘기 나누죠."

햇병아리 학보사 기자의 청에 그는 그렇게 기꺼이 응해주었다. 그 가을 밤, 나는 그와 꽤 많은 이야기를 나누었다. 당시 현안에 대해 물었다.

"그러면 노동자, 농민, 철거민들은 다 죽으라는 말입니까? 그건 그분들에게 무기 없이 전쟁에 나가 다 죽으라는 것과 똑같은 말입니다."

내가 너무나 원하는 대답이었지만, 현실 정치인의 입에서는 이런 말이 나올 수 없는 상황이었다. 노무현이었기에 가능한 대답이었다. 꽤 많은 이야기를 나누었지만 별로 기억나는 것은 없다. 단지 얼마나 시간이 빨리 지나갔는지, 함께 대화 나누었던 시간이 너무 짧았다는 것만 기억에 남을 뿐.

하지만 당시 '어떻게 살 것인가?'에 대한 해답을 찾아 지독히도 열병을 앓고 있던 나에게 "정의롭게 살라"고, "약자의 편에 서라"고 어깨 두드리며 해준 이야기는 마음에 남아 있다. 아마도 얼굴 가득 여드름을 안고 삶을 고민하던 젊은이에게 말 한마디로라도 힘이 되어주고 싶었을 것이리라. 마지막 악수를 나눴던 두툼한 그의 두 손은 참 따뜻했었다.

환호하고 실망도 했지만, 조금 더 뻔뻔했으면

그리고 그가 대통령이 되었을 때 다시 한 번 볼 수 있었다. 2002년 12월 19일, 대통령 선거에서 이긴 그날, 그는 모든 축하 행사를 마치고 명륜동 자택으로 들어오고 있었다. 내가 표를 던진 진보정당 대표는 고배를 마셨지만, 그래도 "노무현이 대통령이 되어서 참 좋아!" 이러며 사람들과 술 한 잔 하고 기분 좋게 비틀비틀 집으로 들어오던 길, 같은 동네에 살았기에 골목길에서 그의 차와 만난 것이다.

차창 문을 활짝 열고 부부는 동네 사람들에게 손을 흔들고 있었다. 나도 가던 길을 멈춰 서고 환호성을 지르며 열렬히 박수를 보내주었다.

'아저씨, 저 기억해요? 멋져요! 앞으로 5년을 기대할게요!'

물론 그 5년은 순탄치 않았다. 이라크에 군대를 파병할 때 실망했고, 한미FTA 협상을 추진할 때 내 마음속에서 조용히 그를 보냈다. 그러며 생각했다.

'그냥 인권변호사 하지, 그냥 재야정치인으로 남지.'

그런데 대학생이던 내 어깨를 두드리며 용기를 주었던 그가, 정치하는 멋진 아저씨였던 그가 떠나버렸다. 짧은 유서 몇 줄 달랑 남기고. "책도 읽지 못하고 글도 쓰지 못했다"는 대목에서 숨이 턱 막혔다. 얼마나 힘들었으면.

수천억 돈을 받고도, 수많은 사람을 죽이고도 청와대에 살았고, 여전히 잘 살고 있는 사람들도 있는데 왜 그가 떠나야 하는지. 그가 조금 더 뻔뻔했으면 좋았을 텐데. 바보 노무현.

김보경 ｜ 〈오마이뉴스〉 시민기자

비주류 노무현과 닥터 노구치

무츠 도시유키 작품 《닥터 노구찌》는 일본 세균학자 노구치 히데요野口英世 삶을 그린 작품이다.

1876년 일본 후쿠시마 현 가난한 시골에서 태어난 노구치는 두 살 때 왼손을 불에 심하게 데었으나 수술로 겨우 쓸 수 있게 되었다. 그는 불구라는 놀림을 받지 않으려 죽어라 공부한다. 그래야 아이들 괴롭힘에서 벗어나고 선생님 주목을 받을 수 있다고 생각해서였다. 선생님이 되겠다던 노구치는 손 때문에 사범학교에 갈 수 없자 의사가 되기로 마음먹는다.

당시 일본에서 의사가 되는 방법은 두 가지로 도쿄제국대학(현 도쿄대학) 의대를 나오거나 병원이나 학사에서 의료교육을 받은 뒤 시험을 보는 거였다. 그런데 이 시험이 1차는 3년, 2차는 7년이라는 말이 있을 만큼 통과하기가 무척 힘들었다.

노구치는 1896년 필기인 의학 1차 시험에 열아홉 나이로 합격하고 같은 해에 임상 시험인 2차에도 합격해 스무 살에 의사가 된다.

그렇지만 노구치는 대학을 안 나왔다 해서 주류 의사 사회에서 단 한 번도 인정받지 못한다. 주류 사람들은 비주류인 그를 미워해 집요하게 공격했다. 노구치는 비주류 한계에 절망하다 혼자 몸으로 미국으로 건너가 온갖 고생 끝에 록펠러 연구소에 들어가 세균학자가 된다.

뱀독으로 뛰어난 업적을 남겼으며, 1911년 매독균 순수 배양에 성공했다는 발표로 세계 의학계에 이름을 알린다. 노벨상 후보에도 여러 차례 올랐는데 1928년, 아프리카 가나 수도 아크라에서 황열병을 연구하다 감염되어 그만 죽고 만다.

그가 죽은 뒤 더 큰 배율 현미경이 만들어져 황열병은 발견되고 백신도 만들어졌다. 이 병에 관해서는 수많은 자료들이 있지만 어떤 자료에도 노구치 이름은 없다.

안타깝게도 노구치가 발견한 업적은 실패로 돌아갔다. 현재 의학사에 그의 업적은 '스피로헤터 순수배양', 이렇게 단 한 줄밖에 기록되어 있지 않다고 한다. 만화 뒷부분에서 이렇게 묻는 대사가 나온다.

"시대가 편승해주지 않으면 패자인가…?"

그러나 페루에는 노구치 히데요 학원이 있고, 에콰도르에는 탄생 100주년 기념우표가 있으며 가나대학에는 노구치 히데요 의학연구소가 있다. 그리고 2004년에 바뀐 일본 새 화폐 1000엔 권에 노구치 초상이 들어가 있다.

1970년대에는 일본 어린이들을 대상으로 출간된 노구치에 관한 책이 많아졌는데, 그 영향인지 의사를 목표로 하는 이가 많아졌다고 한다.

노구치. 그는 주류가 아니었다. 이 작품을 읽다보니 바보라 불리던, 그 자신도 바보라는 별명이 제일 좋다던 철저한 비주류인 누군가 떠오른다. 그도 어쩌면 시대가 편승해주지 않았는지 모른다.

《닥터 노구찌》에 끝맺음을 하며 이렇게 쓰여 있다.

들리지 않습니까? 이 소리가 안 들립니까? 이 시대를 살아가는 우리에게… 외치는 그의 마음이…. 끊임없이 전력으로 달려온 그의 뜨거운 고동이!!

그리고 혹시 모를까 봐 하는 말이지만 우리나라 국민 99.5퍼센트는 비주류라고 한다.

위창남 | 만화가

아, 살아서 훌훌 벗어버리고 싶었던 사람이여.
다 벗고 인간만 남기고자 했던 사람이여.
정치도 벗고 권력도 벗고 모든 권위도 벗고
오직 벌거숭이 인간만 남기려 했던 사람이여.
차별 없는 인간만 남겨 조건 없는 사랑을 꿈꾸었던 사람이여.
당신의 눈물이 우리들 가슴에 강물처럼 일렁입니다.
당신의 눈물이 검은 아스팔트 위에 붉게 출렁입니다.

3 노무현,
그 뜨거운 삶의 기록

우리가 당신을 버렸습니다

우리가 당신을 버렸습니다
그건 프로 정치가 아니야, 바보야

진보란 그런 게 아니야!

우리가 당신을 버렸습니다
그건 사이비 민주주의야, 바보야
애국은 그런 게 아니야!

아, 우리가 당신을 버렸습니다
말뿐이던 우리가 텅텅 빈 우리가
허세뿐이던 우리가 당신 손을 뿌리쳤습니다
새벽닭이 울기 전에 열 번 스무 번 당신을 부인했습니다

그렇게 당신을 버리고 돌아서니
난데없는 철벽이 우리 앞을 가로막았습니다
그렇게 당신을 벼랑에 떠밀고 내려다보니
바위 벼랑 아래 처박힌 피투성이 얼굴은
우리의 얼굴이었습니다

운명이었습니다

아, 운명이었습니다

운명은 첫 순간에 종말을 결정해 버렸습니다

당신은 그렇게 하지 말았어야 했습니다

권력자는 뜨거운 정의의 감정을 품어서는 안 되는 것이었습니다

순결한 영혼을 동경하지 말았어야 했습니다

권력과 순결한 영혼은 공존할 수 없습니다

권력을 국민에게 돌려주려는 짓 따위는 하지 말았어야 했습니다

가난한 자를 높이 세우려는 짓 따위에 열정을 품지 말았어야 했습니다

권력자가 선한 일을 행하고자 한다면

자신을 제거해야 한다는 사실을 알았어야 했습니다

당신은 이것을 거부함으로써 운명의 비극에 갇히고 말았습니다

당신으로 인해 우리가 알게 되었습니다

이천 년 전 십자가에 못 박혀 죽은 한 사내의

외침을 이제야 알 것 같습니다

나의 패배가 여러분의 승리라고 외치고 있습니다

피에 굶주린 자들에게 당신을 먹이로 던지고

피의 잔을 나누라고 외치고 있습니다

오, 슬픈 선지자의 꿈이여!

당신은 정치가가 아니었습니다

아, 살아서 훌훌 벗어버리고 싶었던 사람이여
다 벗고 인간만 남기고자 했던 사람이여
정치도 벗고 권력도 벗고 모든 권위도 벗고
오직 벌거숭이 인간만 남기려 했던 사람이여
차별 없는 인간만 남겨 조건 없는 사랑을 꿈꾸었던 사람이여
당신의 눈물이 우리들 가슴에 강물처럼 일렁입니다
당신의 눈물이 검은 아스팔트 위에 붉게 출렁입니다

백무산 | 시인

'63부작 드라마', 노무현의 파란만장한 생애

노무현의 63년 생애는 '63부작 드라마'라고 불릴 만큼 도전과 승부의 연속이었다. 학벌주의, 지역주의 타파를 부르짖으며 때로는 무모하게 때로는 타고난 승부사적 기질로 도전장을 내밀었다. 정치 입문 후 지역주의의 벽 앞에 번번이 고배를 마시기도 했지만 결국 16대 대통령 자리에 올라 '정치적 자수성가'의 표본이 됐다. 우여곡절의 치열한 5년을 보낸 노무현은 퇴임 대통령으로서 새로운 모델을 만들겠다며 고향 봉하마을로 내려갔다. 그후 15개월, 현 정권의 집요하고 무자비한 '노무현 죽이기'에 견디지 못하고 결국 부엉이 바위 절벽 아래로 떠밀리고 말았다.

'안락의자'를 버리고 인권변호사로

노무현은 1946년 8월 6일 경남 김해시 진영읍으로부터 10여 리쯤 떨어진 본산리 봉하마을에서 농부인 아버지 노판석盧判石 씨와 어머니 이순례李順禮 씨 사이에서 3남 2녀 중 막내로 태어났다. 빈농의 아들로 태어났으나 막내인 데다가 재주도 많고 비상한 두뇌를 지녀 '노 천재'라는 별명과 함께 집안의 사랑을 받으며 자랐다.

초등학교에 들어간 이후에는 '까마귀가 와도 먹을 게 없다'고 할 정도로 가난한 집안환경에서 어렵게 자랐으나, 공부도 잘했고 성격도 명랑한 편이었다. 초등학교 1학년엔 2등, 2학년엔 1등, 절대평가로 바뀐 3~5학년엔 우등상, 졸업식엔 교육감상을 탔다. 6학년 땐 선생님의 권유로 학생회장에 출마해 전교회장에 당선되기도 했다. 노무현은 "이 경험이 남 앞에 나서는 일에 자신을 갖게 한 계기가 됐다"고 소회했다.

성격도 대찼다. 교내 붓글씨 대회에선 교사였던 아버지 도움으로 시험지를 한 장 더 쓴 학생에게 1등을 내주고 2등을 하자 이에 대한 항의로 시상식 날 2등상을 반납하기도 했고, 중학교 1학년 땐 학교가 3.15부정선거를 얼마 앞두고 〈우리 이승만 대통령〉이란 제목의 작문을 시키자 '백지동맹'을 주도해 1주일 정학을 받기도 했다.

진영대창초등학교, 진영중학교 졸업 후 어려운 가정형편으로 부산상고에 진학한 그는 고등학교 졸업 후 조그마한 어망회사인 삼해공업에 취직했으나, 변변치 않은 대우에 실망해 고향에 돌아가 고시공부에 매달렸다. 1966년 10월에 고졸 출신에게 응시자격이 주어지는 '사법 및 행정요원 예비시험'에 합격한 것을 시작으로 사법고시를 준비하기 시작했고, 책값을 벌기 위해 울산 공사판에서 막노동을 하기도 했다. 당시 '함바'에서 가마니 깔고 자며 받은 일당은 180원. 공치는 날이 더 많아 '밥 먹듯 굶기'가 일쑤였다. 사법고시를 준비하던 중에 1968년 군에 입대, 최전방 을지부대에서 복무한 뒤 1971년 상병으로 만기 제대했다.

고시공부 중이던 1973년 1월 고향에서 같이 자라면서 알고 지낸 권양숙 여사와 연애결혼을 해 1973년 아들 건호, 1975년 딸 정연을 낳았다. 두 차례 낙방 끝에 1975년 제17회 사법고시에 합격한 후 1977년 대전지방법원판사로 임용됐지만 7개월 만에 판사 생활을 접고 1978년에 변호사를 개업, 부산지역에서 잘 나가는 조세전문변호사로 이름을 날렸다. 동아대 요트 동아리 학생들과 요트를 배울 당시였다.

인생의 전환점을 준 계기는 1981년 '부림 사건'이었다. 20여 명의 학생들이 사회과학 서적을 읽었다는 이유로 좌익사범으로 구속 기소된 용공조작사건인 '부림 사건'의 변론을 맡게 되면서 노무현은 조세전문변호사에서 인권변호사의 길로 들어서게 된다. 행방불명된 학생들을 찾아다니던 어머니의 모습, 고문으로 인해 아무도 믿지 못하게 된 학생들의 모습을 보며 '돈'과 '명예'보단 '인권'을 생각하게 된 것이다.

노무현은 당시를 회고하면서 "바르게 살아야겠다. 비겁하게 살지 않겠다고 생각했어요. 그 뒤로 요트 동아리 학생들과 요트 타던 것도 아예 그만두었고, 잘 나가던 조세전문가의 길도 접었죠. 그때 얻은 별명이 지금도 자랑스러워하는 인권변호사 '노변' 입니다"라고 말했다.

1982년 부산미문화원 방화사건 변론에 참여한 변호사 노무현은 1984년 발족된 부산공해문제연구소 이사가 되었고, 1985년에는 송기인 신부를 중심으로 '부산민주시민협의회'를 만들면서 재야운동에 나섰으며, 노동법률상담소를 차린 후 부터는 아예 운동판으로 뛰어들었다. 이어 1987년 민주쟁취국민운동 부산본부 상임집행위원장을 맡으며 '부산민주화운동의 야전사령관'으로 불렸다.

그 해 9월 대우조선 노동자 이석규 씨가 파업 중 거리시위를 나왔다가 경찰의 최루탄에 맞고 사망하자 노동자편에서 임금협상과 보상 등의 문제를 상담해줬다. 그러나 이것이 문제가 돼 '3자 개입 금지 위반' 및 '장례식 방해' 혐의로 구속됐다가 23일 만에 구속적부심으로 풀려났다. 당시 부산의 개업변호사가 100명을 조금 넘던 시절 99명의 변호사가 선임계를 내는 화제를 낳기도 했다. 그러나 그해 11월 검찰의 불구속기소로 변호사 업무가 정지됐다.

지역주의 벽 앞에 계속된 도전

지역에서 무료상담 등으로 소일하던 그를 정계로 불러들인 건 김영삼 당시 통일민주당 총재였다고 한다. 대우조선 투쟁현장에서 노동자들을 상대로 열정적인 연설을 하던 모습이 김 총재의 눈에 띈 것이다. 1988년 노무현은 김 총재의 공천 제안을 받고 부산 동구에 출마, 민정당 실세인 허삼수 씨를 꺾고 제13대 국회의원으로 당선, 정계에 입문했다. 당시를 그는 이렇게 회상했다. "재야 몫으로 처음에 남구를 제의받았는데, '기왕이면 허삼수와 붙겠다' 며 동구를 역제의했다. 마침 사람들이 피하던 지역이라 흔쾌히 받아들여졌다."

이후 노무현은 국회 대정부 질문, 노동위 등을 통해 활발한 활동을 벌였다. 노동위에서는 이해찬, 이상수 의원과 함께 노동위 3총사로 불리기도 했다.

초선에 지나지 않던 그를 '정계 스타' 로 만든 것은 1988년 5공 청문회였다. 노무현은 '5공비리조사특위' 청문회 활동에서 '전두환 살인마'를 외치며 전두환 전 대통령을 향해 의원 명패를 집어던져 텔레비전을 지켜보던 국민들을 열광시켰다. 또 정주영 현대그룹 회장, 장세동 전 안기부장 등 정·재계 막강한 증인들을 상대로 조금도 위축되지 않고 날선 추궁을 펼쳐 그들을 쩔쩔매게 하였다. '청문회 스타' 노무현 탄생을 알리는 신호탄이었다.

이후 그는 계파 줄서기나 대세 편승을 거부한 채 과감히 현실에 도전하는 정치적 소신을 보여줬다. 노무현은 1990년 1월, 노태우·김영삼·김종필의 3당 합당을 격렬히 비판하며 김영삼 총재와 결별하였다. 합당 권유의 손을 단호하게 뿌리치고 당 잔류를 선언하면서, 민주당 창당의 주역이 됐다. 그러나 민자당 합류를 거부한 이후 선거 때마다 낙선을 거듭하는 등 고난의 길을 걷게 된다.

1992년 3월 14대 총선에서 '꼬마 민주당' 후보로 부산 동구에 출마해 허삼수 씨와 재대결을 벌였지만 완패했다. 낙선에도 불구하고 그는 김대중 전 대통령과 뜻을 함께 하며 1992년 12월의 대선에선 물결유세단 단장으로 최선을 다했고, 그 결과 다음해인 1993년 3월 전당대회에서는 최연소 최고위원으로 당선되어 재기의 발판을 마련하였다. 노무현은 이때를 두고 "90년 3당 합당 때 여당에 따라갔다면 국회의원이야 세 번, 네 번 하고 장관도 일찍 하고, 도지사 시장도 한 번 지냈을지 모르지만 떳떳하지 못했을 것"이라며 "적어도 잘못된 정치 풍토에 대해 타협하지 않는 것이 큰 자부심이고 행복"이라고 회고했다.

노무현은 1995년 조순 서울시장후보로부터 부시장 러닝메이트를 제안받기도 했지만 이를 고사하고 부산시장 후보로 출마했으나 민자당의 문정수 후보에게 패배, 지역주의의 벽을 넘지 못했다. 노무현은 "부산시민들이 민주당을 탈당하면 뽑아주겠다고 권유했지만 지역주의에 영합하는 일이기에 거부했다"고 밝힌 바 있다.

1995년 정계에 복귀한 김대중이 새정치국민회의를 창당하면서 야당이 분열했을 때도 노무현은 민주당에 잔류했다. 1996년 15대 총선에선 민주당 간판으로 서울 종로구에 도전했으나 다시 실패했다. 이후 국민통합추진회의 활동을 하다가 1997년 대선 국면에서 통추 내부의 의견이 '3김청산과 세대교체'를 내건 이인제 씨로 분위기가 기울자 노무현은 김원기, 김정길 등과 함께 새정치국민회의에 입당해 부총재가 됐다. 1998년 7월 치러진 '정치 1번지' 종로 보궐선거에서 노무현은 국민회의 후보로 출마해 한나라당 정인봉 후보를 꺾고 당선되어 6년 만에 다시 국회의원이 됐다. 국회의원 재선 후 1998년 8월의 현대자동차 파업 중재, 1999년 삼성자동차 매각 협상 중재 등을 주도하기도 했다.

2000년 4월 16대 총선에선 노무현은 주위의 만류에도 불구하고 '지역주의 극복'을 천명하고 종로 대신 부산 출마를 감행했지만 한나라당에 패했다. 그러나 선거 패배에도 불구하고 무모하다 싶을 만큼 굳건한 그의 소신은 '바보 노무현'이라는 애칭을 만들어냈고, '노사모'(노무현을 사랑하는 사람들의 모임) 결성의 단초가 됐다.

국민의정부에서 해양수산부 장관에 임명된 노무현은 격의 없이 직원들과 이메일 대화를 하는 등 당시로서는 '신선한' 공직활동으로 눈길을 끌었다.

정계에 불어닥친 '노풍'

2002년 16대 대통령 선거 출마부터 당선까지의 과정도 드라마틱하다. 노무현은 2002년 3월 9일 제주도를 시작으로 전국 16개 시도에서 치러진 국민참여경선을 통해 '노풍盧風'을 일으키며 이인제를 꺾고 새천년민주당 대통령 후보로 당선됐다. 아무도 예상하지 못한 파란이었다. 변변한 조직도 자금도 없었던 그가 국민참여경선에서 '노란 풍선' '노란 목도리' '희망돼지' 바람을 일으키며 '이인제 대세론'을 무너뜨린 것이다.

노무현은 국민이 후원금을 내고 대통령 후보를 지원하는 방식을 공개적으로 요청, 국민들의 자발적인 참여를 이끌어내어 60억여 원의 국민성금을 모으는 기염을 토하기도 했다. 이때부터 노무현에겐 '깨끗하고 청렴한 정치인'이라는 이미지가 부여됐다. 그해 11월 국민통합21 정몽준 대표와 후보단일화를 하는 등 그의 대선가도는 파란의 연속이었다. 대선 전날 정몽준 대표가 노무현 후보의 명동유세 발언 등을 문제 삼으며 후보 단일화를 철회하는 위기를 맞았지만 특유의 승부수로 한나라당 이회창 총재를 꺾고 48.8퍼센트의 지지를 얻어 청와대에 입성했다.

보수와는 갈등의 연속, 진보와는 애증관계

청와대에 입성한 대통령 노무현은 왕성한 에너지를 쏟아 부어 많은 업적을 남겼다. 권위주의 청산, 사회적 약자를 위한 사회안전망 구축, 인권 신장, 과거사 규명, 대북 화해 협력 체제 진전, 경제 체질 개선, 민주주의 발전 등 괄목할 만한 업적을 이뤘지만 대통령으로서 정치역정은 가시밭길이기도 했다.

그는 취임 초기에 지역주의 타파를 위한 '전국 정당'의 기치를 내걸고 열린우리당을 창당함으로써 민주당의 분열을 초래했다는 비난을 사기도 했다. 또 일부 오해를 살 만한 행보로 진보와 보수 양쪽 모두로부터 공격을 받기도 했다. 보수진영으로부턴 '친북좌파', 진보진영으로부턴 '신자유주의자'라는 비판을 받았다.

특히 보수세력과는 재임기간 내내 대립과 반목의 연속이었다. 대통령직인수위원회 시절부터 검찰 개혁을 화두로 삼았던 노무현은 당시 검찰총장보다 한참 후배 기수인 강금실 변호사를 법무부 장관으로 임명하면서부터 검찰과 척을 지기 시작했다. 역대 대통령으로서는 처음으로 '평검사와의 대화' 자리를 가졌는데, 일부 검사들이 도를 넘어 수사 외압 의혹 등을 거론하자 "이쯤 되면 막 가자는 거지요"라는 말을 해 유행어가 되기도 했다. 평검사와의 대화 직후 김각영 당시 검찰총장이 참여정부의 검찰 개혁 방향에 대해 공개적으로 반대 입장을 표명하며 자진사퇴하면서 참여정부와 검찰의 골은 더욱 깊어졌다.

2004년 3월, 한나라당을 중심으로 한 야권이 여소야대 국면에서 선거법 위반 혐의를 걸어 헌정사상 처음으로 대통령 탄핵소추안을 발의했다. 그러나 이는 메가톤급 역풍을 불렀다. 4월 총선에서, 탄핵을 주도했던 한나라당과 민주당은 몰락했고, 제3당이었던 열린우리당은 152석이라는 원내과반을 점하는 이변을 연출했다. 대통령 노무현은 그해 5월 헌법재판소의 탄핵안 기각 결정이 나기까지 63일간 직무정지를 당하기도 했으나 결국 거대 여당을 지원군으로

얻으며 업무에 복귀했다.

그러나 우리 사회 전 분야에서 이어진 그의 정치 실험은 그에게 '득의'보다는 '시련'을 안겨줬다.

2005년 7월, 노무현은 '선거현실론'을 들며 한나라당에 대연정을 제안하는 승부수를 던졌지만 일언지하에 거절당했다. 이 일은 많은 정치적 동지들과 지지자들이 등을 돌리는 계기가 됐다. 2007년 노무현은 〈오마이뉴스〉와의 인터뷰에서 한나라당과의 대연정 시도에 대해 "나의 자만심이 만들어낸 오류"라며 "아주 뼈아프게 생각한다"고 토로했다.

재보선에서 참패해 의회 과반을 잃고 흔들리던 열린우리당은 결국 2006년 지방선거에서 한나라당에 참패하면서 대통령의 국정운영 동력은 점점 힘을 잃어갔다.

보수언론들과도 질긴 악연도 계속되었다. 〈조선일보〉는 2004년 3월, 대통령 탄핵안이 가결된 뒤 '김대중 칼럼'에서 "(노 대통령이) 대통령직에 복귀하는 경우에도 우리는 심각한 문제에 봉착할 수밖에 없다"고 딴죽을 걸었고, '류근일 칼럼'에선 "노무현 시대는 생각보다 일찍 말기적 증세에 빠지고 있다"고 독설을 퍼부었다. 〈동아일보〉는 2006년 칼럼에서 "노 대통령은 사회에 대한 증오와 분노로 정치를 시작해 자칭 민주화세력과 운동권 386으로부터 좌파논리를 편식했다"고 주장했다.

청와대도 만만찮은 반격을 가했다. 청와대는 2004년 7월 〈조선일보〉〈동아일보〉의 행정수도 이전 비난에 대해 "저주의 굿판을 당장 걷어치우라"고 비판했고, 2006년 5월엔 부동산 정책 비난에 대해 "불량식품만 욕할 게 아니다. 불량기사 역시 피해를 주게 된다"고 일갈했다. 급기야 2006년엔 청와대가 〈조선일보〉와 〈동아일보〉의 취재를 거부하기도 했다. 이들 언론과의 대치는 임기 말 '통합 브리핑룸' 건으로 정점에 이르렀다.

진보진영과는 '애증'의 관계를 유지했다. 이들과의 첫 번째 갈등은 2003년 대북송금특검이다. 국민의정부 시절 남북정상회담 당시 현대아산이 북한에 4억 달러를 비밀 송금했다면서 한나라당 등 보수세력이 대북송금특검을 요구했고, 국민의정부와의 차별성 부각이 필요했던 대통령은 진보진영의 바람을 뒤로 한 채 대북송금특검법에 서명함으로써 비난을 사기도 했다.

"국가보안법은 칼집에 넣어 박물관으로 보내야 한다"는 발언으로 인기를 모았지만 결국 국가보안법을 폐지시키는 결단을 내리진 못했고, "반미 좀 하면 어떠냐"고 했으면서도 이라크 파병을 결행했다. 평택미군기지 확장을 밀어붙이다가 진보진영으로부터 '배신자'란 욕을 먹기도 했다. 갈등은 한미FTA 추진에서 정점을 이뤘다. 그 스스로 '좌파 신자유주의자'라는 신조어를 만들어내면서까지 한미FTA 체결의 필요성을 역설했지만, 한미FTA 강행은 진보진영의 강한 반발을 샀다. 이때 진보진영에서는 "대통령은 왼쪽 깜빡이를 켜고 우회전을 하고 있다"고 비판했다. 이렇게 추락하던 대통령의 인기는 임기 말 평양에서 김정일 국방위원장과의 2차 남북정상회담으로 그나마 면을 세웠다.

"삶과 죽음이 모두 자연의 한 조각 아니겠는가"

'잃어버린 10년'을 주장하며 나온 한나라당에게 대권을 넘겨준 대통령은 밀짚모자 하나 달랑 쓰고 고향인 봉하마을에 내려가 터를 잡았다. 퇴임 후 귀향한 첫 대통령이었다.

"야~ 기분 좋다"는 인사말로 시작된 대통령의 귀향 생활은 역대 대통령들의 퇴임 후 생활과는 달리 낯설었지만 신선했다. 오리농법을 이용해 친환경 봉하오리쌀 농사를 짓고, 봉하마을 앞 화포천 정화운동을 벌이며 생태습지로 되살리려는 노력을 했다. 장군차를 심고, 봉화산 나무 간벌에도 직접 나섰다. 밀짚모자에 자전거를 타고, 동네 구멍가게서 담배를 피우는 전 대통령의 털털한 모습은 언론의 스포트라이트를 받기에 충분했다. 봉하마을은 '자연인 노무현'을 보기 위해 몰려든 관광객들로 북적였고, 노무현은 하루에 한 번씩 사저 앞으로 나와 관광객들을 향해 손을 흔들며 담소를 나눴다.

재임 기간에도 인터넷을 통해 소통하기를 즐겨했던 대통령은 지난해 9월엔 '건전한 토론문화 조성'을 취지로 인터넷 토론 사이트인 '민주주의 2.0'을 열기도 했다.

그러나 고향에서 제2의 인생을 시작한 그는 지난해 12월 형 건평 씨가 세종증권 비리에 연루돼 실형을 받자 치명타를 입었다. 건평 씨가 구속되면서 노 전 대통령은 "따뜻해지면 돌아오겠다"는 말을 뒤로 하고 사실상 칩거에 들어갔다. 뒤이어 정치인생의 후원자였던 박연차 회장으로부터 돈을 받은 혐의로 조사를 받은 것도 노 전 대통령의 도덕성과 청렴한 이미지에 지울 수 없는 상처를 냈다.

노 전 대통령은 4월 22일 "이제 저는 민주주의나 진보, 정의를 말할 자격을 잃었다. 더 이상 여러분이 추구하는 가치의 상징이 될 수 없으며, 헤어날 수 없는 수렁에 빠진 저를 여러분이 버리셔야 한다"는 글을 마지막으로 '민주주의 2.0'을 폐쇄했다. 부인 권양숙 여사와 아들 건호 씨가 검찰의 수사를 받았고, 그 자신도 결국 전직 대통령으로서는 세 번째로 검찰의 '포토라인' 앞에 섰다. 그는 "해도 너무한 정치보복"이라고 반발하면서도 박연차 회장, 강금원 회장 등 줄줄이 구속되는 지인들을 보며 심리적으로 크게 압박감을 느낀 것으로 보인다.

그는 결국 23일 새벽 결국 고향마을 봉화산에서 63년 파란만장했던 생애를 마감했다.

"너무 슬퍼하지 마라. 삶과 죽음이 모두 자연의 한 조각 아니겠는가? 미안해하지 마라. 누구도 원망하지 마라. 운명이다. 화장해라. 그리고 집 가까운 곳에 아주 작은 비석 하나만 남겨라. 오래된 생각이다."

그가 사저를 나서기 30분 전 평소 애용하던 컴퓨터에 남긴 마지막 말이다. 노 전 대통령의 파란만장한 삶은 이렇게 마감되었지만 그는 국민의 가슴에 영원히 살아남은 최초의 대통령이 되었다.

배혜정 | 〈민중의소리〉 기자

노무현 민주화운동 보고서

– 부림에서 현대중공업까지

　노무현은 진보인사인가? 지금 몇몇 인터넷 사이트에서는 이를 논점으로 치열한 공방이 벌어지고 있다. 노무현 지지자들은 될 수 있으면 그를 진보에 가까운 쪽에 세우고 싶어 할 것이다. 반면 진보 정당 쪽은 그를 보수에 가까운 인물로 규정하려 들 것이다.

　노무현이 이렇게 논란의 와중에 놓이게 된 것은, 그가 지난 시기 우리 사회의 격렬했던 투쟁 현장 한가운데 서 있었기 때문이다. 1981년의 '부림 사건', 1987년 부산지역 6월 항쟁, 1987년의 대우조선 이석규 열사 장례식 사건, 1988년과 1990년의 현대중공업 파업 등이 그것이다.

　《말》은 그때의 각 현장으로 되돌아가 노무현을 재구성해보기로 했다. 이를 통해 독자들은 그를 진보와 보수 사이의 긴 스펙트럼 사이 어느 곳쯤에 위치시킬지 가늠할 수 있을 것이다.

노무현을 의식화시킨 '부림 사건'

　'부림'이란 용어는 1980년 12월에 있었고, 서울대 운동권 사건인 이른바 '무림 사건', 1981년 5월의 '학림 사건' 등 '림'자 돌림에 맞춰 부산지역의 '림'자 사건, 즉 '부림 사건'이 된 것이다. 앞서 발생한 공안조작 사건 '무림'과 '학림'의 '림'자도 사실상 1960년대 '동백림'

사건에서 빌려온 말이다. 조작 냄새가 물씬 풍겨나는 '부림'은 노무현이 6월 항쟁 등 민주화 운동과 인연을 맺게 한 최초의 사건이다.

'부림 사건'은 군사반란과 내란으로 집권한 5공 전두환 군사독재정권이 집권 초기 통치기반을 확보하기 위해 민주화 운동세력에 대한 대대적 탄압에 들어간 시기에 발생한 부산지역 사상 최대의 용공조작 사건이다.

당시 부산지역 대학생 및 대학 출신 활동가 등 모두 22명의 청년이 불온서적을 읽고 계엄령 하에서 불법 모임을 가졌다며, 국가보안법과 반공법, 계엄법과 집시법, 범인 은닉과 도피 등의 혐의로 구속 처벌한 사건이다.

'부림 사건'이 일어나기 전 부산지역의 민주화 운동은 1970년대 말 당시 지역의 양심적 인사들의 좋은 책을 구매해 읽고, 토론하는 모임인 양서良■판매이용협동조합(회장 이흥록 변호사)이 모태가 된다.

이어서 각 부문별로 YMCA(기독교청년회), 중부교회(최성묵 목사), 남부교회, 국제사면위원회 부산지부(이하 엠네스티, 지부장 김광일 변호사), 가톨릭정의구현사제단(송기인 신부) 등이 민주화의 요새로 자라나 1979년 10월 부마항쟁을 일으킨다.

항쟁이 끝난 뒤 부산시경찰국은 항쟁의 배후세력으로 김광일 변호사를 비롯한 양서조합 인맥과 부산대생을 조사하던 도중 10.26 박정희 암살 사건이 일어나 관련자들을 '울며 겨자 먹기'로 석방한다.

당시 일주일 동안 고문을 당했던 엠네스티 부산지부장 김광일 변호사는 "살아 있는 박정희 때문에 들어갔지만 죽은 박정희 덕분에 살아 나왔다"며 "죽다 살아났다"고 고백했다. 김 변호사는 훗날 김영삼 대통령 비서실장을 지낸 거물이 된다.

부림은 예비검속 사건

부마항쟁의 다음해인 1981년 9월 유신의 적자, 어쩌면 유신보다 더 한 제5공화국, 전두환 정권이 들어서면서 예비검속의 필요성에 의해 부산지역에서 '운동가의 싹이 보이던' 청년 운동가를 구속시킨 것이 바로 '부림 사건'이다.

이렇게 구속된 청년들은 1983년 12월 전원 형집행정지로 풀려나고, 이들은 부산지역 민주화 운동세력의 '권위 있는 선배'로 성장해 1987년 6월 항쟁의 주역이 된다. 5공 시절 부산지역 민주화 운동의 중심이었던 부산민주시민협의회(이하 부민협) 등 1984년부터 시작된 재야, 인권 노동운동 단체들의 설립과 활동, 그리고 그 연장선상에서 이뤄진 6월 항쟁의 혁혁한 성과는 '부림 사건' 인물들의 '대활약'이란 것이 문재인 변호사의 지적이다.

노무현 변호사와 당시 '부림 사건'에서 변호사와 피의자로 인연을 맺은 뒤 지금까지 계속된 인맥은 지난 4월 말까지 민주시민공원 관장을 맡았던 김재규 관장, 부림 3차 구속자 부산대 76학번 이호철 씨, 서울농대 75학번 설동일 씨, 당시 피비린내 나는 고문으로 노 변호사를 만났던 송병곤 씨, 아우성 구성애 씨의 남편 송세경 씨 등이다. 또 마지막으로 잡혔던 탈영 군인 김영은, 소설 《완전한 만남》의 작가 김하기 씨다.

당시 '학생 운동의 실제 자금줄' 김광일 변호사는 "부림 사건의 변호사를 맡진 않았지만 아우성의 구성애 씨 등은 남편의 옥바라지를 하며 당시 어린 자식을 데리고 시국사건 구속자 가족이 어떻게 싸워야 하는지를 개척해 놓았다"며 "이듬해 벌어진 부산 미문화원 방화사건 구속자 가족들에게 투쟁 방법(?)을 전수하기도 했다"고 말했다.

'노변' 민사소송 승률 90퍼센트

노무현 변호사의 '최초의 동업자'인 문재인 변호사는 당시 노무현과의 만남을 이렇게 설명했다. 문 변호사는 노무현 변호사가 잠시 서울 종로에 지역구 국회의원을 지낼 때를 빼곤 동고동락한 사람이다. 문 변호사는 노무현 변호사를 '노변'이라고 부른다. 문 변호사뿐 아니라 부산지역 재야인사들의 공통된 호칭이 '노변'이다. 다음은 문 변호사의 이야기다.

"1980년대 초반은 변호사 업계에 동업자제도 자체가 거의 없었다. '노변'과 나는 실제 변호사 업무가 많아서, 필요에 의해 동업을 시작한 것이다. 그와 나는 전혀 인연이 없었다. 나는 서울에서 학생운동을 한 경희대 출신이다. 판사 임관이 될 줄 알았던 나는 학생운동 전력 때문에 임용이 거부됐고, '노변'의 경우 동업하기로 했던 사람이 판사로 임용돼 우연히 동업자 관계로 만난 것이다.

당시 '노변'은 부산상고 출신 때문인지 세무 회계 쪽으로 '잘 나갔다.' 실제로 '노변'은 〈부산일보〉 사장을 지낸 김지태 씨가 대표로 있던 (주)삼화나, 조선 견직 등 부산의 대표 향토기업의 상속세 등 100억 원대 이상의 사건을 맡아 승승장구했다. 승률 90퍼센트 이상이었다. 이런 높은 승소율은 당시 사무장이 소송서류의 대부분을 작성하는 관례를 깨고, 자기 이름으로 제출되는 소장은 자신이 직접 작성하는 성실성과 일에 대한 책임감 때문이었다."

'잘 나가던 변호사' 노무현이 '부림 사건'의 변론을 맡게 된 과정과 일화를 '부림 사건'으로 구속됐던 소설가 김하기 씨의 《6월 항쟁》과 문재인 변호사와 김광일 변호사 인터뷰, 관련 자료 등을 통해 재구성해보면 이렇다.

노무현은 부산지역 민주화 운동사에 많은 일화를 남겼지만 적어도 그가 '부림 사건'을 수임하기 전, 30대 후반까지는 평온하게 살아온 '성공한 변호사'였다.

주로 민사사건 중 대규모 세금상속 사건 등을 수임해 재산을 형성한 그는 부산상고 동창회 회장을 역임할 정도로 기득권층에 속했다. 그러던 그가 어느 날 우연히 부산에서의 최대 용공조작 사건인 '부림 사건'을 맡게 되었다.

유신시대부터 부산지역의 '원조 인권변호사'로 활약했던 김광일 변호사가 이 사건을 맡는 게 당연했으나, 그가 이 사건과 음·양으로 직접 연결돼 있다며 공안당국이 협박하면서 기소하겠다는 의사를 밝혀와 전면에 나서지 못했다.

"당신이 변론을 맡을 경우 지금까지 '부림 사건'의 자금원이나 사실상 두목으로 드러난 이상 형사처벌을 피할 수 없다"는 공안당국의 협박을 들은 김광일 변호사는 다른 사람을 물색했다. 결국 김 변호사는 평소에 친분이 있고, 공안당국이 전혀 흠잡을 데 없는 노무현 변호사를 추천했다.

노무현은 얼떨결에 이 사건을 맡았다. 노무현은 구속자들을 만난 뒤 충격을 금치 못했다. 자신이 배운 법으로는 48시간 안에 구속영장이 안 떨어지면 피의자를 석방하게 되어 있으나, 송병곤은 구속영장 없이 60일을 대공분실에 감금당해 있었다. 가족들은 어느 날 갑자기 행방불명된 자식을 찾으려고 전국 방방곡곡을 찾아다니다 두 달 만에 간신히 소재를 알아냈으나 면회조차 안 되었다.

"집에서 연락조차 못했던 그 학생을 내가 처음 접견했을 때 그는 경찰의 치료를 받아 고문으로 인한 상처의 흔적을 거의 지운 후라고 했다. 한창 피어나야 할 젊은이의 그 처참한 모습이란…. 눈앞이 캄캄해졌다. 세상에 이런 일이…. 상상조차 해본 일이 없는 그 모습에 기가 막혔다. 분노로 인해 머릿속이 헝클어지고 피가 거꾸로 솟는 듯했다."

노무현이 《여보, 나 좀 도와줘》에 쓴 자기 고백이다. 피의자 접견 과정에서 충격을 받은 노무현은 법정에서 또 한 차례 놀라운 경험을 한다. 워낙 사건 관련자가 많아 공판은 새벽 1시가 넘도록 진행됐는데, 이들은 한결같이 법정에서 떳떳하고 당당하게 자신의 주장을 펼치는 것이었다.

'부림 사건'은 아직도 진행중

'부림 사건'은 노무현을 '돈 잘 버는 변호사'에서 '운동하는 변호사'로 변화시켰다. 어쩌면 '부림 사건'이 노무현을 민주당 대통령 후보로 만드는 데 가장 공헌을 했는지 모른다.

"나는 그때 그들로부터 많은 감명을 받았다. 그들은 자신들이 읽
다 붙잡혀온 그 책들을 읽길 권했다. 바쁜데다 경황이 없어 책
이 잘 읽히질 않았다. 나 또한 짧은 식견으로 토론을 하며 오히
려 그들을 설득시키려고 하기도 했다. 학생들이 무엇을 말하려
고 하는지 그땐 잘 이해도 못하고 넘어갔다.
그러나 나는 그때 그들로부터 많은 감명을 받았다. 그리고 그들
의 관심사에 대해서도 차츰 눈을 뜨게 되었다. 훗날 그들이 석
방되어 나올 때쯤에는 나도 꽤 많은 책을 읽고 있었다."

– 노무현,《여보, 나 좀 도와줘》중에서

1990년 월간《말》3월호에 의식화된 노무현의 변론 모습이 실려
있다. 그가 재판정에서 변론을 하던 중 "알리하고 포먼하고 권투시
합을 하는데 김일성이 알리 편을 들었을 때 피고인도 알리 편을 들
었다면 그것도 이적행위냐"고 따져 묻자 당시 최병국 검사(현 한나라
당 국회의원)는 "북괴를 찬양하는 발언을 자제해 주십시오"라고 소리
쳐 폭소를 자아내기도 했다고 보도했다.

노무현은 박찬종 대타

'부림 사건'이 아물지도 않은 1982년 3월 18일 부산 도심 한가운
데서 '봉홧불'이 솟아오른다. 다름 아닌 부산 미국 문화원 방화사건
이 일어난 것이다. 이른바 '부미방 사건'. 이 사건은 1980년대 반미

자주화 투쟁에 획을 긋는 사건이 된다.

'부미방 사건'의 변론인 선정 과정에서 노무현은 '부산 민주화 운동의 대부' 송기인 신부를 만난다. 부산지역의 1970년대 유신반대 투쟁부터 1980년대 중반까지 민주화 운동의 버팀목은 송기인 신부, 김광일 변호사, 최성묵 목사로 대표된다. 송 신부는 노무현과의 처음 인연을 이렇게 설명한다.

"부미방 사건을 변론하기 위해 이돈명 변호사를 비롯해 모두 8명이 서울에서 내려와야 하지만 당시 부산의 이흥록 변호사가 찾아와 박찬종 변호사가 유신헌법에 관여하는 등 별로 (색깔이) 선명하지 않다며 신부님이 이야기해 빼달라고 했지. (동업자인) 자기들끼리는 이야기하기가 좀 그렇다면서. 그렇게 뺀 자리에 노무현이 들어간 거지. 한마디로 박찬종 대타였지, 뭐."

현실에 '눈을 뜬' 노무현 변호사는 1984년 공해문제연구소를 설립하고, 1985년 5월 3일 부산민주시민협의회(이하 부민협, 회장 송기인 신부)에 발기인으로 참가하는 등 부산지역 민주화 운동에 앞장서게 된다.

당시 부민협 창립 기념 강사는 다름 아닌 현《월간 조선》조갑제 편집장이었다. 물론 당시에는《월간 조선》기자였다. 부산 YMCA 강당에서 열기로 한 이날 기념 강연은 300여 명의 경찰과 기관원의 제지로 사실상 무산됐고, 경찰은 강사인 조씨를 근처 식당에 주최 측도 모르게 연금했다.

경찰에 강제연금된 조갑제

조갑제 편집장과 부산 민주화 진영의 인연은 〈국제신문〉 기자였을 당시 부산지역 민주화운동의 거목 김광일 변호사의 소개로 엠네스티 부산지부 회원으로 가입한 것이 계기가 된다.

그가 김광일 변호사의 평전 《참 멋진 놈 하나 만났더라》에 기고한 글에는 "처음이자 마지막으로 속했던 사회단체가 국제사면위원회(엠네스티) 부산지부였다"며 "〈국제신문〉 기자로 재직 중에 회사의 지시를 받지 않고, 병가를 낸 뒤 5월 광주민주화운동을 취재하러 갔다가 회사 취재진과 합류하는 바람에 해임됐다"고 밝혀 눈길을 끈다.

하여간 회사 몰래 광주항쟁을 취재하다가 해직되고, 민주화운동 진영 초청으로 부산에 갔다가 경찰에 강제연금당한 《월간 조선》 보수논객 조갑제의 색다른 모습이다.

1986년 9월 12일 노무현 변호사는 부산 남부경찰서 김종관 수사과장과 김기성 수사계장을 권리행사 방해 혐의로 부산시경찰국에 고소한다. 혐의는 경찰이 당시 강도 상해 혐의로 수감 중인 양아무 씨를 수사하면서 주먹과 몽둥이로 때리는 등 피의자를 구타하고, 물고문을 자행했다는 사실을 알아보기 위한 노 변호사의 접견권을 방해했다는 것이다.

당시 노무현과 문재인 변호사는 9월 4일부터 8일까지 모두 6차례에 걸쳐 고문 피해자가 피의자의 접견을 위해 경찰서를 찾지만 '법을 지켜야 하는 경찰'에 가로막힌다. 어렵사리 얻은 접견 결과 피의자 양씨는 모진 구타로 고막이 터진 것 같고, 물고문도 당한 것으로 진술했다.

노무현, 경찰을 고소하다

당시 노무현 변호사는 부산지방변호사회와 회원들에게 "내가 당한 수모가 혼자 감당하기엔 너무 벅차고, 개인적인 문제로 그칠 일이 아니다"며 모두 3쪽 분량의 건의서를 보낸다. 당시 노무현은 접견 과정에서 당한 수모를 하나하나 자세하게 나열한 뒤, "경찰 간부의 태도는 본인 개인에 대한 것이라기보다는 오히려 변호사 제도에 대한 도전이자 부인이라고 생각한다"며 "변호사회가 나서서 문제를 삼아야 한다"고 주장했다.

결국 이 문제는 1986년 10월 부산지방변호사회(회장 정윤조 변호사)가 부산지방검찰청 검사장 앞으로 서신을 보내자 검찰은 "사법 경찰 관리를 지휘 감독하는 검찰의 입장에서 그런 물의가 빚어진 데 대해 깊은 유감을 표한다"며 사과 의사와 함께 "검사실에서 접견하는 방법을 적극 활용해 달라"고 제안하는 것으로 마무리된다.

이렇게 문제가 해결되자 노무현은 같은 해 11월 29일 두 경찰관의 고소를 취하한다. 노무현 변호사의 '한 성깔'과 조직 장악력이 엿보이는 대목이다.

경찰, 노무현 구속영장 청구

충격적인 '부림 사건'을 통해 '새롭게 변화'한 노무현은 1987년 6월 항쟁 당시에는 민주헌법쟁취국민운동부산본부(이하 부산국본)의 집행 책임자인 상임집행위원장을 맡는 등 '부산 민주화 운동의 큰 기둥'으로 성장한다. 당시 상임집행위원장은 실무 책임을 지며 회의를 주관하는 등 발로 뛰지 않으면 안 되는 자리였다.

학생운동권 출신 활동가도 아닌 현직 변호사가 실무 부서의 집행 책임자가 되는 일은 지금이나 당시 상황이나 특이한 경우이다. 당시 부산국본에서 상임집행위원으로 참가한 문재인 변호사는 '노변'과 자신의 차이를 이렇게 설명한다.

"내가 '노변'을 따라가지 못하는 점은 흔히 말하는 먹물, 지식인이라는 범주에서 벗어나지 못하고, 스스로 행동의 한계를 설정하고, 선을 긋는 점이다. 변호사니까 단체에 참여하더라도 재정적인 지원 등 2선이나 바람막이를 하다가 일 터지면 변론을 하는 것으로 자기 역할을 규정한다. 몸으로 부대끼는 것은 자기와 맞지 않는다고 스스로 규정하는데, '노변'은 그런 것이 없다. 이것을 단점이라고 평가한다면 아주 속물적인 견해다. 부산국본 당시 나도 상임집행위원이었지만 가두연설을 한다든지, 경찰과 직접 몸을 맞대고 투쟁하는 것은 내가 할 일이 아니라고 생각했다. 하지만 '노변'은 흔쾌하게 집행위원장을 맡고, 연설하고, 거리를 돌며 행동하고 투쟁했다."

이러한 노무현 후보에게 처음 구속영장이 청구된다. 계기는 1987년 2월 7일 부산시 서구 아미동에서 태어난 박종철 열사의 추도집회 때문이었다. 부산이 고향인 박종철 열사의 추도집회는 민주화 운동의 열기가 전국으로 퍼져나가는 시발점이었다. 부산의 2.7 시위는 박종철 고문치사 사건으로 무너져가는 전두환 정권의 모습을 그대로 보여줬다.

김하기 씨는 《6월 항쟁》에서 "부산과 광주에서 2.7 집회의 열기가 서울을 압도한 것은, 김영삼과 김대중, 양 김의 지역연고가 부산과 광주이기 때문이라는 답이 나오지만, 결코 그렇지만은 않다"며 '부산과 광주는 그리 멀지 않은 기간 전에 군사독재 정권과 전면전을 벌인 광주 항쟁과 부마항쟁의 경험 때문"이라고 분석했다. 문재인 변호사가 김광일 변호사의 평전 《참 멋진 놈 만났더라》에 2.7 집회를 자세히 그렸다. 당시 상황을 그대로 옮긴다.

2월 7일 엄청난 경찰 병력이 대회장소인 대각사를 원천봉쇄했다. 그러나 주최 측은 굴하지 않고 여러 차례나 대각사 진입을 시도하는 척하며 경찰의 경계를 따돌린 후에 장소를 옮겨 부영극장 앞에서 기습적으로 대회를 연다. 말 그대로 성동격서의 전술이었으며 실로 군부독재 정권의 폭압을 뚫고 도심지 한복판에서 독재타도를 외친 첫 가두시위였다.

여러 사람의 연설과 노래가 이어진 후에야 뒤늦게 그 사실을 안 경찰이 주변을 포위하면서 남포동 방향에서 진압하기 시작했다. 그때만 해도 가두시위란 것이 무서울 때여서 수백 명의 시민, 학생들은 동요했다. 주최 측에서 '질서' '앉자'를 외치며 동요를 막으려 했지만, 경찰 병력이 점점 다가와 드디어 덮칠 수 있는 거리에 이르자 금방이라도 대오가 무너져 뿔뿔이 흩어질 태세였다.

나(문재인 변호사)는 그때 부민협 상임위원으로 주최 측의 일원이어서 시위대를 보호할 일이 걱정이었으나 다함께 앉아서 버티는 것 외에는 방법이 없어 보였다. 고작 생각한다는 것이 여차할 경우 시위대와 함께 어디로 뛰는 것이 좋을지 사방을 살피며 머리를 굴릴 뿐이었다. 일촉즉발의 순간 김광일 변호사가 나섰다.

"시민, 학생들을 보호하기 위해 우리가 앞으로 나가서 도로에 앉아 몸으로 경찰을 막읍시다."

여기까지가 문 변호사가 전한 1987년 6월 항쟁의 시발점 2.7 추모 집회 당시의 모습이다. 시민들을 경찰로부터 보호하기 위해 대표자들이 경찰과 집회군중 사이에 연좌하던 중 최루탄을 뒤집어 쓴 노무현 변호사는 경찰에 연행돼 바로 구속영장이 청구된다.

이날 집회의 성공은 그날 밤까지 1만여 명 이상의 부산 시민들의 거리시위로 이어져 6월 항쟁의 기폭제가 됐다. 당시 구속영장에 적힌 범죄사실을 정리하면 다음과 같다.

1986년 8월 10일 오후 7시 문재인, 이흥록 변호사와 함께 부산 중부교회에서 성고문 용공조작 저지 공동대책위원회 주최로 열린 집회를 여는 것은 경찰에서 불법으로 인정해 행사장 출입을 차단하자 인근 농협 부평동지점 앞 길거리에서 문제 학생 50여 명을 선동해 폭력경찰 물러가라는 구호를 외치면서 가두시위를 기도했다. 또 1987년 2월 7일 중구 남포동 부산극장 앞에서 고문추방이라고 쓴 어깨띠를 두르고, 집회에 나와 "박종철 군의 죽음은 대공요원 한두 사람의 죄가 아니라 불의를 허용한 우리 모두의 죄"라며 "민주정치 쟁취하자, 고문정권 물러가라"는 구호를 외치며 불법 시위를 적극 주도한 혐의이다.

당시 2월 7일 부산 북부경찰서 수사과 형사계 사무실에서 경찰이 작성한 조서를 통해 '갇힌 노무현'을 투영해보자. 당시 모두 진술에서 노무현은 "나는 오늘 오후 2시 30분께 전투경찰 복장의 경찰관으로부터 연행돼 강제로 끌려온 사실이 있어서 인적사항을 사실대로 진술하고, 그 이후 오늘 행동한 사실에 대해서는 일체 진술할 수 없다"며 묵비권을 행사한다.

'묵비권 투쟁의 대가' 노무현

부산시경찰국으로 자리를 옮겨 2차 조서를 받을 때도 묵비권을 행사하자, 당시 경찰관은 피의자 노무현이 모르게 '몰래 녹음'을 시도해 성공한다. 당시 진술조서를 보면 노무현은 모든 질문에 묵비권을 행사하다가 "사적인 분위기에서 대화를 나눴는데 본인도 모르게 녹음하는 법이 어디 있느냐"고 버럭 화를 내며 항의한다.

또 "녹음 내용을 들어보겠느냐"는 경찰의 제안에 '화난' 노무현은 "당신들 마음대로 녹음했으면, 마음대로 증거로 사용하면 될 것이지 들을 필요도 없다"고 말했다. 당시 경찰은 조서 말미에 피의자 노무현의 모습을 이렇게 그려 놓았다.

"묵묵부답으로 있어 서명날인을 요구하였으나 거부하다가, 본인 (경찰)이 진술조서를 읽어줄 때도 듣지 않겠다는 모습으로 멍하니 천장만 쳐다보고 있다."

계속해서 소설가 김하기가 《6월 항쟁》에서 '노변 구속 영장 기각 사건'을 다룬 부분이다. 장소와 시간은 1987년 2월 9일, 부산이다.

202

노무현 변호사에게 구속영장이 청구되는 과정은 그야말로 해프닝의 연속이었다. 경찰에 잡혀 와서도 책상을 뒤집어엎는 등 행패(?)를 부리는 노무현을 괘씸하게 생각해 구속영장을 신청했으나, 당직을 맡은 한기춘 판사로부터 기각당했다. 도주나 증거 인멸의 우려가 없다는 이유였다. 그러나 검찰은 다른 판사의 집에까지 돌아다니며 4회나 더 영장발부를 구걸했으나 번번이 기각당했다.

일반적으로 구속영장은 한 번 청구했다 기각되면 다시 청구하지 않는 것이 원칙인데, 이 날은 납득할 수 없을 만큼 이례적이었다. 이 사실이 언론에 보도되자 대한변호사협회와 부산지방변호사회도 이에 대해 강력히 항의하였다. 부산의 민주인사 노무현 변호사는 이 사건을 계기로 전국에 알려졌다.

노무현, 검찰도 고소하다

월간《말》취재진은 최근 노무현 변호사의 당시 상황이나 심정이 담긴 자필 고소장을 입수했다. 당시 주소는 부산 남구 남천동 삼익비치맨션 203동이고, 1987년 9월 3일 해운대경찰서 유치장에서 작성한 고소장이다.

피고소인은 1987년 2월 7일 당시 부산지검 공안부장과 차장검사 등이고, 고소죄명은 불법 감금 및 직무유기다. 파란색 대학 노트에 흘려 쓴 4장의 자필 고소장을 작성했다. 결국 이 고소장은 곱게 타이핑을 한 다음에 1988년 2월 23일 부산지검에 접수시킨다. '끈질긴 노무현'의 단면이다.

결국 검찰의 '밤을 새운 피나는 노력'에도 불구하고 노무현은 풀려났다. 밤새워 구속영장을 들고, 판사들의 집을 전전하며 구걸하러 다닌 부산지검의 위신은 땅에 떨어진다. 노무현은 석방돼 불구속 상태로 수사를 받는다.

1987년 2월 19일 부산지검 정현태 검사가 작성한 문답의 일부를 보면 당시 노무현 변호사의 여유와 당당함, 그리고 당장은 공무원이지만 인간으로서 검사 개인에 대한 애정이나 예의를 엿볼 수 있다(검사를 '검'으로, 노무현 변호사는 '노'로 표시한다).

검 묻는 대로 답하겠는가.

노 인적사항만 말하고, 사실관계는 말하지 않겠다.

검 피의자는 1986년 8월 10일 오후 7시 부산 중부교회 인근에서 학생 50명을 선동해 '폭력경찰 물러가라'는 등의 구호를 선창하는 등 가두시위를 전개한 사실이 있는가.

노 알 필요가 없다.

검 1985년 김광일, 문재인 변호사와 함께 300만 원을 갹출해 당감성당 안의 부민협 사무실을 부산진구 범천1동 845 송호진 씨 소유의 건물로 이전토록 자금을 지원한 사실이 있는가.

노 그런 것도 문제가 되는가.

검 부민협은 민통련 산하단체로서 민통련과 운동이념을 같이하고 있다는 데 사실인가.

노 부민협의 운동이념을 알 뿐, 민통련의 이념은 정확하게 알지 못하고 산하단체라고 하는 표현은 정확하지 않다.

검 1987년 2.7 박종철 추모집회를 위해, 1월 10일과 2월 3일 부민협 사무실에서 2회에 걸쳐 부민협 등 재야단체와 신민당이 회합을 가져 박종철 추도행사를 2월 7일 오후 2시 대각사에서 열기로 하고, 행사가 저지될 경우 집회와 시위도 불사한다는 등의 결의를 했는가.

노 질문도 정확하지 않고, 대답 또한 하고 싶지 않다.

검 박종철 추모 행사에 쓰이는 유인물과 플래카드, 어깨띠 등을 제작하는 등 필요한 경비로 피의자가 50만 원을 제공했는가.

노 알 필요 없다. 하지만 뭐라고 할까, 귀신같네.

검 추도회의 사회는 부산 EYC 총무 최명철이 맡고, 개회선언은 부민협 사무국장 김재규가 했고, 피의자의 추도사를 소개한 것도 김재규인가.

노 한 가지가 틀렸다. 하지만 말하지 않겠다.

검 당일 행사의 추도사를 위해 미리 추도사를 준비했는가.

노 미리 준비했다면 좀더 잘했을 것이다.

(중략)

검 박종철 군 사건의 성격, 부산이 박 군의 고향이라는 사정, 부산 시민의 기질 및 부산시민이 갖고 있는 정치적 경험을 비춰볼 때 박종철 추도회를 제지하지 않으면 인천 사태 등과 같이 극도의 혼란 사태가 생기지 않고, 피의자가 말하는 평화적인 추도회만으로 끝났을 것으로 자신하는가.

노 자신할 수 있다. 그런 불안은 이런 추도회를 평화적인 추도회로 끝날 수 없도록 원인을 제공한 자들의 불안일 뿐이다. 민주적인 제 권리가 보장된 곳에서는 추도회가 폭력 사태로 발전하는 일은 있을 수 없다.

검 법조인의 견지에서 볼 때 피의자의 행동이 너무 정치적이거나 지나치다고 느껴지진 않았나.

노 나는 개인적으로 정치적 보상을 바라지 않는다. 그러나 시민으로서 정치적 권리는 보장돼야 하고, 그 행사는 시민의 의무이다. 그리고 지금 상황은 법조인이라면 법률적 방법으로 대응해서는 스스로의 권리는 물론 시민의 권리조차 옹호할 방법이 없는 실정이다.

검 현재의 심경은.

노 이번 일은 아름다운 추억이 될 것이다.

다음은 진술서 마지막 부분이다.

법질서 유지를 위해 노심초사하는 모습에 경의를 표함과 아울러 한편으로는 송구스럽기도 하다. 그러나 이 자리는 결과적으로 독재권력에 대한 저항과 그에 대한 탄압에 맞서는 자리라고 생각한다. 그리고 현실적으로 법을 집행할 수 없다 할지라도 그 법의 집행은 엄격한 법 원리에 의해서 집행되어야지 누구의 명령이나 정치적 분위기를 위해 좌우되어서는 안 된다.

예를 들면 지난 2월 9일 오후 3시 30분, 대공분실에서 김수민 검사로부터 조사를 받은 일이 있는데 합법적 구금 시간인 48시간을 약 1시간 정도 경과한 시간이었다. 그래서 본인은 조사가 끝날 무렵 검사에게 즉시 석방을 요구함과 동시에 구속 시간이

경과한 사실, 전투경찰에 의하여 대공분실의 현관이 봉쇄된 사실, 석방을 요구한 사실 등을 조서에 기재해 달라고 요청한 바 있다.

하지만 검사는 석방을 지휘하지도 않았고, 본인의 진술을 조서에 기재하는 것도 거절하고 돌아갔다. 검사의 직무 집행이 이와 같은 상황이어서 성실히 조사에 응할 마음이 나지 않았기 때문에 이 시간 대부분의 진술이 불성실하게 된 것이다. 검사님 개인에게는 대단히 미안하지만 이런 시국에 대해 무언가 항의의 의사 표시를 하는 것이 변호사로서의 당연한 사명이라고 생각하여 그렇게 한 것이니 이해해주기 바란다.

당시 전국이 그렇듯이 1987년 6월 항쟁이 전국을 휩쓸고 지나간 뒤, 지난 1987년 7월 이후에는 노동자의 바람이 다시 거대정국을 주도한다.

'이석규 열사 사건'으로 불리는 1987년 8월 대우조선 노동조합의 투쟁은 아마 당시 민주화운동 진영이나 언론사보다 당시 경찰이 더 세밀한 자료를 가지고 있을 것으로 추정된다. 왜냐하면 당시에는 비디오카메라 같은 쓸 만한 기록도구가 없는 시절이었기에 더더욱 그렇게 추정된다.

대우조선 민주노조 결성

월간 《말》 취재진은 당시 부산시경찰국 정보과가 작성한 〈대우조선 노사분규 상황일지〉를 입수했다. 이 일지는 8월 8일부터 '열사 이석규'씨의 장례식이 끝난 30일까지 대우조선 민주노조 설립 과정과 투쟁 상황을 세밀하고 생생하게 기록하고 있다.

23일 동안의 생생한 노동조합 건설과 당시 대우조선 노동조합의 등장과 파업, 장례식 진행 과정 등 역사를 기록한 이 일지는 모두 137쪽 분량이다. 특히 사건이 급박하게 돌아갈 경우 5~10분별로 상황을 세밀하게 정리해나갔다. 8월 10일 새벽 5시에는 대우조선 내 전화가 끊겨 경찰 맹원(프락치)과의 연락이 두절됐다고 적을 정도로 대우조선 안에 많은 정보원들을 두고 있었던 흔적도 적혀 있다.

경남 거제도 옥포 대우조선 노동조합이 수면 위로 드러난 계기는 1987년 8월 8일 대우조선 기능공 식당 앞에서 공무중기관리부 소속의 이상용 씨가 '어용노사협의회 물러가라'는 현수막을 들고 노동자 500여 명과 함께 본관으로 행진하면서 시작된다. 이어 정문 봉쇄, 모두 3000여 명이 집결했다는 것이 경찰기록이다.

그러나 월간 《말》 1987년 9월호(13호) 〈옥포조선조, 굴욕적 푸대접 속에서 몸부림, 온갖 탄압 불구 민주노조 결성〉이라는 기사에는 "삽시간에 노동자는 1만여 명으로 불어났다"고 보도해 경찰일지와 '집회 인원을 보는 시각 차이'를 여실히 드러냈다.

당시 노조 초대위원장으로 뽑힌 이상용 씨는 회사 쪽 사람들과 만난 뒤 지금 외부 불순분자가 침투해 도로가 차단되고, 통행이 불편해 회사 쪽에서 노조설립 서류를 대신 접수시켜 주겠다고 말했다는 말을 노동자들에게 그대로 전했다.

당시 상황에서 위원장이 이런 말을 하면 위원장 어용시비가 벌어지는 것은 당연지사다. 결국 노조원들은 위원장과 노조를 세운 지

이틀 만인 11일 '어용' 위원장 이상용 씨를 몰아내고 양동생 씨를 노조위원장으로 선출한다. 실제로 현재 대우조선 노동조합 홈페이지(http://www.dswu.or.kr)에 나와 있는 노조연혁을 봐도 이상용 위원장 이란 이름을 찾을 수 없다.

'현장을 점령'한 노조와 회사는 계속 협상을 벌이지만 부결되고, 회사는 바로 휴업을 선언한다. 이에 흥분한 시위대는 옥포관광호텔에 묵고 있는 김우중 회장과 대우 조선 관리자들을 향해 달려갔다.

8월 22일 '양동생 집행부'는 기본급과 현장수당 각각 2만 원 인상, 가족 수당 1만 원 신설을 최종안으로 제출하자, 회사 측은 48시간의 시간을 달라고 했다. 노조는 바로 교섭 결렬을 선언했다. 같은 날 오후 2시 40분 소조립부에서 근무하던 이석규 씨가 옥포사거리 시위에서 경찰이 쏜 SY44 직격 최루탄을 가슴에 맞고, 쓰러져 생을 달리한다.

당시 사건에 대한 진상은 부산지방변호사회 진상조사위원회(위원장 이형규 변호사 외 7인)가 작성 발표한 〈노무현 변호사 구속 사건에 대한 진상조사 보고서〉 12쪽부터 자세히 적혀 있다.

수백 명의 근로자들이 옥포관광호텔에 있는 회사 간부들의 면담을 요구하기 위하여 행진 중, 위 호텔에서 200미터 거리에 있는 옥포사거리에서 경찰병력과 대치하게 되었다. 그곳에서 행진을 막는 경찰과 수차례 몸싸움을 한 후 근로자 대표가 나서 경찰 지휘자에게 "호텔까지만 평화적으로 행진할 것이며, 호텔에 가서도 회사 간부들과 면담이 이뤄질 때까지 평화적으로 연좌농성 외에 과격행동을 하지 않을 테니 길을 열어 달라"고 요구하였다.

그러자 경찰 지휘자는 "가지고 있거나 주변에 있는 돌멩이를 모두 치우고 오리걸음으로 행진한다면 길을 열어주겠다"고 약속하였다. 그리하여 근로자들은 길가에 있는 돌멩이들을 모두 치운 다음 열을 짓고 스크럼을 짠 상태로 앉아서 오리걸음으로 수 미터를 전진하였는데 경찰병력이 다시 길을 막았다.

그래서 근로자들은 스크럼을 풀지 않고 앉은 그 상태에서 경찰병력과 대치해 약속 위반을 항의하고 있는데 갑자기 최루탄이 발사되었다. 그때 경찰병력은 근로자들을 삼면에서 포위하고 있었고, 위 망인(이석규 열사)은 선두 세 번째 열에 앉아 있었다.

최루탄이 발사되자 근로자들은 처음 얼마 동안은 물러서지 말자고 말하며 스크럼을 짠 그대로 무저항 상태로 고개를 숙인 채 움직이지 않았으나 곧 더 많은 최루탄이 터지면서 더 이상 견딜 수 없는 상태에 이르렀기 때문에 극도의 혼란상태에 빠지면서 뒤쪽으로 앞을 다투어 도망하였고, 경찰은 뒤쫓아 오면서 계속 최루탄을 쏘는 한편 뒤처진 근로자를 붙잡아 폭행을 가하였다. 그러한 상황이 끝난 후 망인이 발견되었다.

당시 부산지방변호사회 진상조사위원회는 "경찰의 진압에 따른 이번 사고는 우발적인 것이 아닌 경찰의 고의적인 살인행위에 가깝다"고 판단했다. 이렇게 사고가 난 뒤 노 변호사는 사망 당일 밤에 육로로 거제도에 가려다가 발을 돌려 다음날인 23일 오전 8시 부산항에서 배편으로 거제 옥포항에 내린다. 노 변호사는《여보, 나 좀 도와줘》에서 대우조선에 간 사연을 이렇게 이야기한다.

내가 그 사건에 개입하게 된 것은 노동자들이 사체 부검에 입회해달라고 요청을 해왔기 때문이다. 내가 노동자들로부터 요청을 받은 데는 이유가 있다. 그 전 6월 18일의 부산 시위 때 이태춘이란 청년이 경찰의 최루탄을 피하다 떨어져 죽었는데 그 청년의 사체 부검 때 내가 참여했었기 때문이다. 도착해보니 서울에서 이상수 변호사와 민통련 관계자, 노동운동단체 등에서 지원차 내려가 이상수 변호사나 나는 우선 유족들에 대한 보상 합의 문제를 도왔다.

그리고 검찰이 조속하게 부검을 할 수 있도록 시신을 장악하고 있는 노동자를 설득하여 사태 수습에 매달렸다. 다만 유족에 대한 보상 합의 문제가 임금협상과 맞물려 있어서 노동자들이 혼선을 빚고 있었다. 당시 나는 임금협상이 원만하게 타결되지 않고서는 장례식도 원만하게 치러지기 어렵다고 보고 장례식에 앞서 임금협상을 마무리 지어야 한다는 입장을 가지고 있었다.

갈팡질팡하는 노동자들에게 그런 뜻을 가지고 가닥을 잡아주었는데, 검찰에서 나를 제3자 개입, 장(례)식 방해 등으로 물고 늘어진 것이다. 당시 이상수 변호사와 내가 유족들에게 받게 해준 보상금은 1억 원이었다. 당시 상황으론 꽤 많은 액수였고, 우리가 나서지 않았다면 쉽게 타낼 수 있는 돈이 아니었다.

8월 30일 거제 대우조선을 관할하는 경남 충무경찰서에 이상수 변호사(현 국회의원)가 구속된다. 부산시경찰국 대공분실 소속 경찰들은 8월 30일부터 9월 1일까지 3일 동안 노무현 변호사에게 집과 부산국본 사무실 앞 등 모두 세 차례에 걸쳐 임의동행을 요구한다.

그때마다 노무현 변호사는 경찰에게 영장 제시를 요구하거나 사실상 임의동행을 거부하다, 결국 9월 2일 밤 11시께 구속영장이 발부돼 해운대경찰서 유치장에 수감된다. 아마 주소지 관할 경찰서에 잡혀간 것으로 미뤄볼 때 집에서 연행된 것으로 보인다. 혐의는 정상적인 장례식을 방해했고, 지금은 폐지돼 기억 속에서 사라진 '악법'인 쟁의조정법 중 제3자 개입 금지 위반, 무수한 시위 집회 등 6월 항쟁에 대한 집시법 위반 등이다.

노무현은 감옥에서도 쉬지 않는다

미결수로 부산구치소에 수감 중이던 노무현은 1987년 9월 18일 〈부산일보〉가 자신이 13대 총선에 출마한다는 기사를 내보내자 편집국장 앞으로 항의서한을 보낸다(물론 공천을 앞두고, 초반에는 거부하다가 주변의 권유로 출마해 부산 동구에서 '5공 시절 3허로 불리며 잘 나가던 허삼수'를 누르고 당선된다).

이틀 뒤에는 또 대우조선 사건으로 충무경찰서에 수감 중인 이상수 변호사에게 '수사기관의 불공정한 수사와 민중에 대한 탄압을 이유로 검찰 조사에 불응하고 있다'는 편지를 보내려 했지만 부산구치소장은 이를 불허한다.

그대로 가만있을 노무현 변호사가 아니었다. 바로 피청구인을 부산구치소장으로 하는 서신발송 불허처분 취소 심판 청구 소송(행정심판)을 제기한다. 결국 이 편지는 국가와 언론 기관에 대한 불만 및 불신을 표시한 것으로, 청구인에게 특히 필요한 용무가 있는 것으로 보기 어렵고 교도상 적당하지 않다는 이유로 기각당한다. 노무현 변호사는 감옥에서도 쉬지 않았다.

거제 대우조선 사건과 관련해 노무현 변호사의 구속영장을 직접 작성한 사람은 당시 부산시경찰국 대공분실 유병은 경위이다. 그는 현재 경정으로 두 계급 진급해 금정경찰서 형사과장으로 재직중이다. 유병은 과장은 월간《말》취재진과 전화 통화에서 "1985년부터 1990년까지 부산시 경찰국 대공분실에 근무했다" 면서 "6월 항쟁과 대우조선 사건, 동의대 사건 등 격동기를 지내면서 노무현 변호사를 수사하는 등 격동기를 지켜봤다" 고 말했다.

그는 또 월간《말》취재진의 계속된 인터뷰 요청에 "한 나라의 대통령 후보가 된 사람의 과거에 대해 논하는 것은 바람직하지 않다" 며 정중하게 취재를 거절했다.

변호사 99명이 일궈낸 석방

노 변호사는 9월 2일 구속돼 1987년 9월 23일 구속적부심 재판을 통해 석방된다. 구속적부심 재판은 대개 변호사, 피의자, 판사 등이 참가하는 '소형 재판'이라서 판사 방이나 소형 법정에서 진행한다.

하지만 당시 부산지법은 심리 시간을 오후 2시에서 오후 4시 30분으로 변경하면서까지 대형 법정에서 진행할 수밖에 없었다. 변론에 참가할 변호사가 너무 많았기 때문이다. 문재인 변호사는 변호사 김광일 평전《참 멋진 놈 만났더라》에서 당시 상황을 이렇게 전했다. 당시 노무현의 무료 변론에는 부산지역에 개업한 변호사 대부분이 참가한 것으로 보인다.

부산지방변호사회 소속 변호사 99명이 무료 변론을 자청하여 선임계를 제출했는데 이 분들이 고맙게도 대부분 법정에 출석했다. 그래서 변호인석의 자리가 턱없이 모자라 방청석의 대부분을 변호사들이 차지했다. 대규모 변호인단이 구성되는 경우는 가끔 있지만 실제로 그토록 많은 변호사가 출석한 기록은 아마 전국적으로 아직까지 깨어지지 않았으리라 생각된다.

재판이 열리면 출석한 변호인을 확인하여 조서에 기재하게 되어 있다. 그러나 그때만 해도 부산의 변호사 수효가 많지 않아 법원 사무관이 변호사들의 이름을 다 알기 때문에, 재판장이 변호인을 호명하지 않고 사무관이 알아서 조서에 기재하는 것이 관례였다.

그날도 재판장은 평소대로 변호인의 출석은 확인하지 않고 바로 인정신문을 시작하였다. 그 순간 김광일 변호사가 일어나 이렇게 요구했다.

"출석한 변호인의 수가 많고, 방청석에도 다수가 앉아 있어 변호인의 출석 여부를 확인하기 어려우므로 재판장께서 직접 변호인을 호명하여 출석 여부를 확인해 주십시오."

결국 재판장은 장시간에 걸쳐 변호인을 일일이 호명하여 출석 여부를 확인하지 않을 수 없었다. 그토록 많은 변호사가 선임되었을 뿐 아니라 직접 법정에 출석해 노무현 변호사의 석방을 요구하고 있다는 사실을 재판부가 직접 확인하도록 함으로써 재판의 분위기를 유리하게 이끌고, 재판부에도 압박을 가하는 일종의 시위 효과를 노린 것이었다.

김광일 변호사는 "구속적부심 재판을 대법정에서 개정한 것도 우리나라 사법 사상 초유의 일이지만 모두 99명의 변호사가 법정에 나와 사실상 시위를 벌인 것도 처음이었다"며 "석방 결정이 났을 땐 춤이라도 추고 싶을 정도로 신났다"고 회고했다.

이렇게 구속적부심이 받아들여져 석방된 노무현은 이후 검찰에서 1차 진술조서를 작성하지만 묵비권을 행사한다. 그런 그가 10월 15일 검찰 조사에 처음으로 성실하게 임한다. 사실상 1987년 6월 항쟁 이후부터 지금까지 경찰이나 검찰의 조사에 이렇게 응한 경우는 처음이다.

"처음 구속됐을 때는 그 구속이 정치적 이유를 앞세운 것이라 보았기 때문에 진술을 거부했다. 하지만 구속적부심 석방 후 수사 단계에서 본인에게 유리한 사실을 밝혀 혐의를 벗을 수도 있다는 가능성을 기대해 수사에 응했다."

하지만 조사 후 며칠이 지난 뒤 노무현의 마음이 또다시 바뀐다. 조사에 불응하는 것이다. 당시 같은 혐의로 구속된 이상수 변호사가 이번 사건으로 변호사 업무정지 처분을 받은 것 때문이었다.

"법무부가 이상수 변호사에게 업무정지 처분을 내리는 것을 보고 아직도 처음 구속된 당시와 상황이 변함이 없다고 생각돼 본인의 성실한 변명 또한 부질없는 짓으로 생각됐다. 내가 진술을 거부하겠다는 뜻은 앞으로 이 사건에 관해 유리와 불리를 떠나 진술을 거부하겠다. 내가 과거와 같은 정치적 활동을 하고 안하고는 상황의 변화 여부에 따르는 것이지 결코 어떤 사법적 소추나 업무정지 처분이라는 결과에 따라 달라지지 않을 것이라는 점을 분명히 해두고 싶다. 검사의 출석 요구에 앞으로 응하지 않겠다."

결국 노무현도 1987년 11월 변호사 업무정지 처분을 받고, 이듬해인 1988년 2월 22일 벌금 100만 원을 선고받는다. 검찰과 노무현 변호사 쌍방이 모두 판결에 불복해 항소하지만 기각당한다. 불혹의 나이 노무현 변호사의 구속 사건은 이렇게 대단원의 막을 내린다.

현대중공업과의 인연

'변호사인 노무현'과 현대 계열사 노조의 인연은 그리 깊지 않다. 하지만 '15년의 오랜 정치 역정에 비하면 짧은 국회의원 경력 노무현'과 현대중공업, 현대자동차에서 노동자를 만나는 공식적 인연은 1988년 현대중공업 파업 현장 방문을 시작으로, 1990년 현대중공업 골리앗 투쟁, 다시 1998년 현대자동차 파업 중재 등 질기게 이어진다. '짧은 국회의원' 신분으로 노사분규의 한가운데를 세 번이나 다녀간 것이다.

1988년 1월과 다음해 5월 현대중공업 노사분규 현장을 방문할 때는 부산 동구에서 통일민주당 후보로 당선된 국회의원 신분으로, 현대자동차 노사분규를 중재할 때는 1998년 7월 종로구 보궐선거에 당선된 다음 새정치국민회의 부총재(국회의원) 자격으로 '투쟁의 현장 울산'에 내려갔다.

당시 투쟁의 중심에 섰던 사람은 이번 6.13 지방선거에서 울산 동구청장으로 도전하는 이갑용 민주노동당 울산동구지구당 위원장과 김광식 현대자동차노조 전 위원장이다. 이 두 사람을 5월 8일 울산 현지에서 만났다.

현대중공업은 1987년 처음 노조를 만들었고, 다음해 1988년 시작된 첫 단체협약 싸움은 해를 넘겨 1989년까지 계속된다. 물론 파업을 동반한다. 128일 파업 기간 중인 1988년 12월 26일 국회의원 배지를 단 노무현이 현장을 방문한다. 사실상 그때의 파업은 불법이었다.

울산참여연대 이수원 대표는《현대그룹 노동운동 그 역동의 역사》라는 저서에서 1만 8000명의 현대중공업 노조원이 모인 가운데 노무현 국회의원의 초청강연이 열렸다고 당시 상황을 기록했다.

당시 1988년 4월 허삼수를 누르고 부산 동구에서 당선돼 여의도에 입성한 통일민주당의 노무현 의원은 "현대중공업 노동자들의 파업이 단협 승리를 위한 것이기는 하지만 노동자의 목을 죄는 모든 악법을 깨부수기 위한 한국 노동운동을 이끄는 중요한 사업(투쟁)"이라고 말했다. 당시 연설 내용 전문이다.

"여러분! 이번 여러분의 파업은 법률상 위법입니다. 그런데 법도 여러 가지가 있습니다. 저 산동네의 철거민을 보십시오. 그 사람들도 하루 종일 일하고 퇴근해서 따뜻하게 등 눕힐 수 있는 구들장이 필요하고, 그 사람 자식들도 밥 먹던 상이나마 행주로 닦아 책 놓고 공부할 수 있는 방이 필요합니다. 그런데 법에 위반되었다고 무허가라고 집을 뜯어버립니다.

노점상들도 그렇습니다. 입에 풀칠을 하려고 나와 있는 노점상들을 도로교통법을 걸어 목판을 차버립니다. 그들 중 어떤 사람들은 집에 불이 나 다섯 가구가 몽땅 타버렸는데 피해액이 100만 원도 안 되는 경우도 있습니다. 그들에게 목판 하나는 전 재산입니다. 밥 못 먹게 하는 법, 그것은 법이 아닙니다.

여러분! 헌법에는 노동3권을 명시해놓고 방위산업체는 안 된다고 합니다. 입만 열면 안보, 전쟁 위협 운운하면서 비행기로 3분 거리에 있는 서울에 왜 63빌딩을 짓습니까? 방위산업체 쟁의는 안 된다고 하는 말은 대한민국 노동운동을 꽉 밟아버려라, 이런 뜻입니다. 그러므로 법은 정당할 때 지키고 정당하지 않을 때는 지키지 않아야 합니다. 또 말로만 하지 말고 악법은 국민의 손으로 철폐시켜야 합니다.

노동자가 놀면 온 세상이 멈춥니다. 그 잘났다는 대학교수, 국회의원, 사장님 전부가 뱃놀이 갔다가 물에 풍덩 빠져 죽으면 남은 노동자들이 어떻게든 세상을 꾸려 나갈 것입니다. 그렇지만 어느 날 노동자가 모두 염병을 얻어 자빠져 버리면 우리 사회는 그날로 끝입니다. 그럼에도 불구하고 법률, 경제, 사회관계 등 모든 것을 만들 때 여러분이 만듭니까? 그게 바로 오늘 한국의 노동자가 말하는 노동자가 주인 되는 세상입니다. 그런 사회를 위해 우리 다함께 노력합시다."

다음날 현대중공업 회사 측은 〈현중뉴스〉라는 정기 홍보물을 통해 노무현의 강연을 '선동' '선거운동'이라고 매도하면서 제3자 개입 위반으로 고소하겠다고 으름장을 놨지만 후속 조치는 없었다. 훗날 이 발언은 민주당 대통령 후보를 선출하는 과정에서 이인제 후보가 제기하는 색깔 논쟁의 단골 메뉴가 된다.

골리앗과 노무현

1990년 당시 현대중공업 이영현 노조위원장이 구속되자마자 단협을 앞당겨 3월 임금협상, 4월부터 파업을 강행한다. 4월 말까지 계속된 싸움에서 대다수 노조 부위원장들이 경찰(정부)과 회사에 사실상 투항하면서 노조 간부는 사무국장 이갑용 씨만 일부 조합원들과 함께 외롭고 처절한 투쟁을 계획한다.

구약시절 '약소민족 노동자'를 무력으로 짓밟은 흉포한 거인 골리앗(독재정권)과 맞서는 '다윗 이갑용'의 골리앗 점거투쟁이었다. 스스로 '외로운 늑대'라는 암호명을 사용한 고공 82미터, 건물로 치면 23층 높이의 골리앗 투쟁은 1990년 노동운동의 상징이 되었다.

파업 4일 만인 4월 28일 새벽 5시, 경찰은 육해공 삼면 입체작전을 전개해 3시간 만에 공장 내 주요시설을 점거했다. 그러나 73개 중대 1만 3000여 명의 병력과 헬리콥터, 해군 경비정까지 동원한 물리력도 골리앗 앞에서는 불가항력이었다. 200여 명의 '외로운 늑대'가 시작한 골리앗 농성은 5일째인 5월 3일 50명으로 줄어든다. 그날 오후 4시 50분께 박찬종과 노무현 의원이 올라와 엘리베이터실에서 이갑용 당시 비대위 의장과 면담을 가졌다. 민자당 창당 기념일인 5월 9일 이후까지 투쟁을 끌어가야 했던 이갑용 위원장의 당시 노무현에 관한 기억이다.

"노무현은 1988년 12월에는 법을 초월해 투쟁해야 한다는 강성
발언을 했지만 골리앗에 올라왔을 때는 조금 유연해진 것 같았
다. 다치지 마라, 합리적으로 해결하도록 중재하겠다고 말했다.
노무현은 선동가에서 중재자의 모습으로 바뀌었다."

정리하면 1989년 1월 노무현 의원은 1년 전 투쟁의 선동가에서,
골리앗 앞에선 중재자로 변한 것이다. 당시 이갑용 위원장은 "1989
년에 싸우고 있는 사람에게 힘이 되는 말을 하고 간 기억이 있어서
이번에도 노무현 의원이 오면 힘을 주고 갈 것으로 생각했다"며
"중재하러 왔다는 말을 들 때는 힘이 쭉 빠졌고, 오히려 같이 온 이
상수 의원이 노동자들에게 힘을 주는 '센' 발언을 한 것으로 기억
한다"고 밝혔다.

결국 1990년 5월 노무현 의원은 투쟁하는 골리앗 농성자들에게
'힘과 투쟁의 의지보다는 식수를 건네주고 돌아오게' 된다.

간이침대의 노무현

1998년 7월 21일 '정치 1번지 서울 종로 보궐선거'에서 한나라당
정인봉 변호사를 큰 차이로 누른 노무현 변호사는 현대자동차 노사
협상 중재단으로 울산에 내려간다. 그날은 이기호 당시 노동부장관
의 중재가 무산된 다음날인 8월 18일이었다. 중재에 걸린 시간은

모두 6일이다.

현대자동차의 '뜨거운 노사 공방'은 회사 측이 정리해고가 법제화된 것을 계기로 4월 19일 노동자 8189명을 해고하겠다는 통보와 함께 시작됐다. 이 통보는 8월까지 계속되는 기나긴 투쟁으로 이어져 모두 여섯 차례의 파업에, 회사는 세 차례의 휴업으로 맞섰다.

현대자동차의 정리해고를 둘러싼 노사분규는 최초로 노동자와 총자본이 격돌하는 본보기가 되었다. 당시 노동조합은 근무시간 단축을 비롯한 순환 휴가제 등 정리해고가 아닌 다른 대안을 내놓았지만 회사는 전혀 받아들이지 않았다.

현대자동차는 30년 동안 흑자를 기록했다. 김광식 전 위원장은 "불과 몇 개월의 단기간 적자를 이유로 정리해고 카드를 뽑아 든 것은 '구조조정을 통한 생산효율성 향상이기보다는 정리해고를 통한 노조의 무력화'가 가장 큰 목적으로 보였다"고 설명했다.

그런 과정에서 노무현이 국민회의 중재단을 꾸려 울산으로 내려갔다. 이에 대해 김광식 위원장은 "공권력 투입을 앞두고, 회사 입장에서 보면 합법적 정리해고를 할 수 있는 절호의 기회를 막는 데 결정적 역할을 했다"고 긍정적으로 평가했다.

그는 또 "당시 싸워서 이길 수 있는 상황이 아니었다. 지금도 마찬가지다. 개별 단위 사업장이 정권과 총자본을 상대로 싸우는 것은 사실상 불가능하기 때문에 어쩔 수 없는 선택이었다"며 "개별 단위 사업장이 투쟁을 벌여 정리해고 규모를 줄이는 것은 가능하다. 하지만 기업별 노조보다는 구조와 시스템을 바꿔 산별노조 체제로 전환해야 한다"고 말했다.

당시 잠정합의(안)에 대해 현대자동차 노동자들은 1, 2차 투표를 통해 부결시키지만 문안이 약간 수정돼 통과된다. 사실상 "노조를 유지할 힘조차 없어 합의하는 상황으로 흘러갔다"는 것이 김 위원장이 바라보는 당시 정세다.

하지만 노사가 합의하고, 정부가 중재한 합의 사항도 잘 지켜지지는 않는다. 파업에 참가한 노조 간부들을 사법처리하지 않고 선처하기로 했지만 40여 명이 구속됐고, 정리해고자의 경우 생계비는 상당 기간 지급되지 않았다.

김광식 위원장은 협상이 타결된 뒤 노조 간부들의 구속을 앞두고, 정부 중재단 이기호 노동부장관과 노무현 부총재를 만나러 갔다가 '사람됨의 차이'를 뼈저리게 느꼈다고 말했다.

"사법처리 하지 않겠다는 약속을 지키라고 찾아갔지만 이 장관은 만나지도 못했다. 아주 의리가 없는 사람이란 생각이 들었다. 하지만 노무현 부총재는 현대자동차 노사분규 중재 문제로 언론과 재벌에게 치이고 마음고생을 많이 하는 과정인데도 불구하고 권양숙 여사와 함께 구치소로 특별접견을 왔다."

"민주당 노무현은 신뢰하지 않지만 인간 노무현은 존경한다. 개인적으로 민주노동당에 입당하라는 요구를 하기도 했다"는 김광식 위원장은 중재 당시의 노무현을 이렇게 기억한다.

"정치인 노무현의 분명한 한계는 집권 여당 정치인이란 사실이었다. 하지만 협상 당시에는 우려하고, 고민하고, 노력했던 한 사람으로 기억된다. 중재단 대표인 노무현은 울산에 있는 동안 내내 본관 회의실에서 간이침대를 펴놓고 잠을 잤다. 여당 부총재에게 제공되는 편안한 잠자리를 거부했다."

자살골이냐 결승골이냐

1998년 월간《말》10월호 〈정범구가 만난 사람〉에서 노 부총재는 교체선수가 경기장에 들어서자마자 골을 넣듯이 국회의원이 되자마자 보기 좋게 '한골'을 넣었다고 평가했다.

"노 부총재가 현대자동차 노사분규를 대화로 푸는 데 일등공신 역할을 한 것이다. 그동안 노사간의 극한대결에 이어 공권력 투입에 의한 사태 해결 방식에 익숙해져 있던 우리에게 대화를 통한 노사분규 해결은 하나의 신선한 충격이었다, 그런데 노 부총재는 언론과 재벌에게 감사나 격려의 인사를 받기는커녕 집중포화를 맞았다. 심지어 김대중 대통령마저 '결승골'이 아닌 '자살골'로 판정했다."

노무현 고문은 당시 인터뷰에서 '정치를 해오면서 특별하게 지켜야겠다고 생각하는 정치적 원칙이나 신념'을 이렇게 밝혔다.

"사람들은 화살을 잘 피하고 물살을 잘 타는 사람의 묘기를 지켜보면서 재미를 느끼지만 아주 거대한 흐름에 굽히지 않고 부딪쳐 나가고, 상처를 입으면서도 비바람을 뚫고 나가는 꿋꿋한 모습을 기대하기도 합니다. 어떤 의미에서는 그런 사람들이 바로 그 사회의 희망과 기상이라고 할 수 있습니다. 한 사회에 그런 기상을 가진 사람이 많아야 사회적으로 큰 위기가 왔을 때 그것을 돌파할 수 있습니다. 저는 정통성, 선명한 노선을 강조하면서 정치를 해왔습니다. 앞으로도 이런 원칙을 지키면서 정치를 할 것입니다."

(월간 《말》 2002년 6월호에 실은 글이라 당시의 시각을 반영한 것입니다. 참고하시기 바랍니다.)

정재현 | 전 월간 《말》 기자

과정도 하나의 직업이었다

― 노무현의 사법고시 합격 수기

1975년 청년 노무현이 제17회 사법시험에 합격하고 나서 수험 잡지인 《고시계》 75년 7월호에 〈과정도 하나의 직업이었다〉는 제목으로 게재한 고시 합격기다.

1. 머리에

지나간 일은 언제나 아름답게만 보인다지요? 산꼭대기에서는 힘겹게 올라온 가파른 산길마저도 한 폭의 그림처럼 보이듯이 말입니다. 또 승자의 과거는 그것이 자서전이든 타인의 작품이든 가끔 신화적으로 수식되어 있음을 봅니다.

사법시험의 합격, 이것이 긴 여정에서 하나의 중간 목적지에 불과하지만 하나의 성취와 조그마한 승리로 평가될 수도 있기에, 막상 합격기라는 것을 쓰려 하니 자칫 어떤 승리감에 도취되거나 과거를 돌아보는 낭만적인 기분에 도취되어 힘겹고 괴로웠던 긴 수험 과정의 체험을 스스로 미화시켜 얘기하는 잘못을 범하게 될까 여간 두렵지 않습니다.

그러나 고졸 합격자라는 다소 특이한 제 입장이 독학도들에게 어떤 관심의 대상이 될 수도 있지 않을까 하여, 둔한 솜씨나마 될 수 있는 한 사실대로 기억을 더듬고 그때의 생생한 감정들을 살려서 몇 자 쓰고자 합니다.

2. 동기 – 꿈을 키우던 시절

나는 경남 진영이라는 읍에서 약 10리나 떨어진 산골 가난한 농가에서 태어났다. 위로는 형님이 두 분으로, 큰형님은 부산 대학교 법대를 졸업하고 고등고시를 준비하였으나, 본래 가난한 살림에 벅찬 대학 공부 때문에 가세는 더욱 기울어 내가 국민학교 5학년 때쯤 끝내 응시도 해보지 못한 채 그만두고 말았다.

당시 나는 형님을 따라 마을 뒤에 있는 봉화사라는 절에 가서 그곳에서 고시 공부를 하는 형님 친구들의 법이론이나 시국에 대한 토론을 자주 듣곤 했으며, 또 형님은 자신의 좌절에서 오는 울적한 심정을 털어놓기를 좋아했던 모양으로 가끔 상기된 어조로 나에게 여러 가지 얘기를 들려주곤 했다.

물론 나는 그때의 얘기들이 너무 어려워서 잘 이해되지 않는 것이 많았으나, 그들의 엄숙한 표정과 격한 어조의 토론은 만만한 젊음의 패기와 이상을, 그리고 격렬한 논쟁의 뒤에 주고받는 소탈한 웃음은 사나이들의 인간미와 호기를 상징하는 것으로 느꼈고, 이것들이 고시 학도들의 속성이요 또 그들만이 가지고 있는 특권으로까지 생각했다. 결국 이런 분위기는 나에게 고시를 해보겠다는 막연한 꿈을 갖게 해주었다.

그러나 살림은 더욱 기울어 작은형님은 학업을 중단했다. 부모님의 노동 능력은 차츰 줄어갔고, 마침내 최후의 명줄로 남아 있던 조그만 과수원마저 빚에 쪼들려 처분해야 했다.

나는 3학년이 되면서 일찌감치 고교 진학을 포기하고, 5급 공무원 시험을 거쳐 독학으로 고등고시에까지 밀고 나가 보겠다는 결심으로 옛날 형님께서 보시던 누렇게 바랜《법제 대의》와《헌법의 기초 이론》(유진오)을 꺼내 읽기 시작했다. 그러나 그 해 10월에는 일자리를 찾아 나갔던 형님께서 돌아와 내가 하는 꼴을 보고 크게 나무라시며 진학을 권하셨다. 나도 가정 사정을 들어 고집을 부려보긴 했으나 끝내 강권에 못 이겨 부산상고에 장학생으로 들어가게 되었다. 그러나 예순이 넘으신 부모님들의 생활은 아무런 토지의 근거도 없이 자신들의 노동으로 해결하시도록 내버려 둔 채 작은형님이 어렵고 힘든 직장을 전전하며 벌은 돈으로 내 숙식비를 부담해야 했으니, 대학 진학은 아예 엄두도 내어 보지도 못하고 취직반에 들어갔다.

그래도 역시 막연하게나마 길러 오던 고시에의 꿈을 버릴 수는 없었던지 3학년 말 농협에 취직시험을 치른 후 발표도 나기 전에 65년도 11월호《고시계》를 한 권 샀다. 고시의 냄새를 알기 위하여….

3. 출범 그리고 표류

농협에의 낙방에 이어 개인 회사에 취직했으나 생각보다 급료가 박했고 근무 시간이 많았던 것은 고시로 향한 출범의 결정적 계기가 되었다. 야산 돌밭을 개간하여 심은 고구마와 영세민 취로 사업장에서 내주는 밀가루로 연명하시는 부모님들의 실망을 모른 체하고 직장을 그만두었다. 한 달 반의 급료 6000원으로 몇 권의 책을 사고 마을 건너편 산기슭에 토담집을 손수 지어 '마옥당磨玉堂'이라 이름 붙인 후, '사법 및 행정요원 예비시험'을 준비하기 시작했다(당시에는 학력 제한이 있었다). 책값을 벌겠다고 울산 한국비료 공장 건설 공사장에 막노동을 하러 갔다가 이빨이 3개나 부러지고 턱이 찢어지는 불운을 겪으면서도, 용케 11월에는 제7회 예시에 합격하였다.

4개월 정도의 준비로 예시에 합격하는 행운과 함께 이제까지의 나의 처절한 투쟁은 막을 내렸다. 나의 예시 합격에 자극받아 큰형님은 67년에, 작은형님은 68년에 각각 5급 공무원 시험에 합격했기 때문이었다. 그러나 67년에는 법률 서적을 살 형편이 못되어 예비시험 과목을 새로 공부하고 있다가 68년에는 군에 입대했다. 군에 있는 동안에도 공부를 해보려고 애썼으나 영어 단어 하나 암기를 못하고 3년을 표류하고 말았다.

4. 열풍에 돛을 달고 – 그리고 좌초

71년 제대를 하고 집에 오니 집안 사정은 상당히 호전되어 있었다. 4월부터 옛날의 '마옥당'을 수리하여 공부를 시작, 5월 2일에 3급 1차에 합격, 그리고 사법시험으로 전환. 처음 법률 책을 대하니 다소 흥분되기도 했으나 과연 이 어려운 것을 해낼 수 있을지 더럭 겁부터 났다. 그러나 소설을 읽듯이 마구 읽었다. 생각보다 쉬웠다. 겉만 슬슬 핥으니 그럴 수밖에…. 전 과목을 무질서하게 읽었다. 행정법과 상법이 좀 어려운 듯했다. 민법을 모르니 그럴 수밖에…. 소송법은 전혀 무슨 말인지 알 수가 없었다. 실체법을 전혀 모르니 그럴 수밖에…. 4개월에 걸쳐 오리무중을 헤매면서 전 과목 3회독을 마쳤다.

《고시계》를 66년도부터 소급해서 샀다. 그러나 합격기 말고는 아무것도 읽을 수 없었다. 그 동안의 체험과 《고시계》 합격기에서 읽은 것을 정리하여 얻은 것은 책을 읽는 순서 정도였다. 이리하여 민법을 먼저 읽고 상법과 행정법에 들어가고 실체법을 먼저 읽고 소송법에 들어간다는 순서를 정하여 9월부터 시작했다. 새로 읽으니 과거의 3회독은 간 곳 없고 전혀 새로 읽는 기분이었다. 한 페이지 한 페이지가 다시 어려워졌다.

그러던 중 10월에 14회 공고가 났다. 외면하려 했으나 자꾸만 들뗬고 마침내는 고시 사상 최단기 기록을 목표로 하여 무작정 덤볐다. 문제집을 샀다. 1차의 합격은 나의 이러한 만용을 더욱 부채질했다. 이젠 문제집마저도 내 나름대로 밑줄을 긋고 그 부분만 골라 읽었다. 8개월 정도의 준비로 2차 시험에 응했다.

시험장에서 고향의 중학교 후배를 만났다. 사법시험 준비는 나보다 훨씬 선배였다. 나의 공부 기간을 듣고는 "전 과목을 한 번 다 보지도 못했겠네요?" 했다. 어리석게도 나는 자신이 무시당하는 기분에 적이 분개하면서 우습게 받아넘겼다. "두고 보라지…." 정말 하룻강아지 범 무서운 줄을 모르는 막강한 뱃심이었다. 이런 뱃심으로 시험에 응했다. 기막히게 더 잘 썼다. 내가 아는 건 다 썼고 또 아는 건 그뿐이었으며 집에 와서 책을 대조해보지도 않았으니, 기막히게 잘 썼다고 생각할 수밖에…. 점수는 50점 얼마였다.

뒤에 읽어보니 문제집에 밑줄을 그어두었던 부분이 모두 엉터리였다. 다른 색깔로 새로 밑줄을 고쳐야 할 형편이었다. 이러한 결과에도 불구하고 수많은 응시자를 젖히고(?) 과락 없이 300명 선 안에 들어갔으니 다음에는 틀림없을 거라고 또 한 번 낙관했다.

그러나 발표 후 5~6개월을 이유 없이 허송했다. 제대 후 공부도 시작하기 전부터 마을 처녀에게 마음을 뺏기기 시작하여 상대방의 단호한 거부에도 불구하고 열을 올리게 되고 8개월에 걸쳐 집요하게 추근거려 1차 시험 직전에야 겨우 처녀의 마음을 함락시키고는 안도했는데, 이제 그녀가 결혼 적령을 넘었다는 사실과 고시와 연애는 양립할 수 없다는 중론 사이에서 그녀와 나는 고민의 연쇄반응을 일으켰고, 또 이틀이 멀다 하고 만나지 않고는 배길 수 없는 애정의 열도에 비례하여 공부를 위한 시간에의 집착이 강하여 심리적 갈등이 심했기 때문이다.

그러다가 9월에야 정신을 바짝 차리고 장유암이라는 절에 들어갔다. 국사의 추가로 부담이 늘었지만 시험이 연기된 것을 다행으로 여겨 '수석 합격'이라는 표어를 내걸고 열심히 공부를 했다.

73년 1월에는 예년의 시험 대신에 그녀와 결혼했고 5월에는 아들도 낳았으나 나는 여전히 절에서 계속 열을 올리고 있었다.

아! 그런데… 글쎄 정말 이럴 수가! 그렇게 끔찍이도 나를 아껴주시며 자신의 못 다한 소망을 나에게 걸어 꿈을 키워 주시던 큰형님이 5월 14일 교통사고로 저 세상으로 떠나 버리셨다. 한 줌 재로 화해 버린 형님의 유해를 고향에 묻고 절로 올라 올 때는 길도 제대로 보이지 않았고 이제부터 전혀 공부도 되지 않았다. 단지 타성에 의하여 책장을 넘기고 있는 동안에도 마음은 삶과 죽음에 대한 밑도 끝도 없는 생각들과 고시와 출세에 대한 회의로 가득 차 있을 뿐이었다.

그래도 결론은 하나, 형님의 꿈 그리고 나의 꿈, 어떻든 고시는 필연적이었다. 15회 시험까지 남은 기간은 40여 일 뿐, 차츰 초조해지기 시작하고 마침내 책을 읽기만 하면 가슴이 울렁거리며 답답해지는 알지 못할 병에 걸리고 말았다. 하는 수 없이 시험을 한 달 앞두고 보따리를 싸 들고 집으로 내려왔다.

그러나 아직 산고가 풀리지 않아 부자유스러운 아내와 핏덩이 신걸이, 자식을 잃은 부모님의 비탄…. 공부가 될 리 없으니 병은 점점 더해지고…. 수석 합격이라는 화려한 표어와는 달리 응시조차 포기하고 싶은 것을 부모님의 시선이 두려워 마지못해 상경하였으나, 시험 첫날부터 가슴이 답답하고 목구멍에 무엇이 치밀어 올라 우유와 계란 외에는 아무것도 먹지 못했고 그래도 기를 쓰고 책을 볼라치면 몸에서 식은땀이 배어 나왔다.

《고시계》의 통계란에 따르면 결과는 90위 정도, 정리만 잘하면… 하는 자신을 얻은 셈이었다.

5. 새로운 좌표 – 직업의식

그러나 좀 쉬어야 했다. 책을 잡기만 하면 예의 증세가 나를 괴롭혔다. 고시를 그만둘까도 싶었다. 학교 성적이 우수했다는 사실이 반드시 고시를 해야 할 필연적 이유로 되는 것도 아니라는 것을 깨닫게도 되었고, 법을 공부하면서 차츰 정의의 이념을 배워 가는 동안 '고시=권력=출세'라는 과거에 내가 생각했던 등식이 우스운 것임을 느끼게 될 무렵 큰형님의 뜻 아닌 타계는 예시 과목의 철학개

론을 공부하면서부터 어렴풋하게나마 생각해 오던 삶의 의미를 보다 깊이 생각하게 하는 계기가 되었고, 맹목적 출세주의와 '그 수단으로서의 고시'라는 과거의 생각에 결정적인 쐐기를 박았다.

그러나 상고를 졸업한 지 너무 오래되어 새로운 진로를 찾기는 어렵고 하여 고시를 그만두지는 못했다. 다만 이제는 고시 아니면 파멸이라는 배수의 진은 거두어버리고, 하나의 직업인이 자기의 생각에 충실히 종사하듯이 고시 공부도 평범한 생활의 일부로 생각하려 했다. '수석 합격'이라는 표어 대신에 '천직=소명'이라 써붙이고, 숙소를 마옥당에서 집으로 철수하여 직장에 출퇴근하는 기분으로 낮에는 마옥당에서 공부하고 밤에는 집에 와서 여유가 있을 때만 공부하기로 하였다.

아기가 울면 달래기도 하고 기저귀도 갈아 채우고 밤이 늦도록 아내와 정담을 나누며 잠을 덜 자면 이튿날 낮잠을 잤다. 그러나 가슴과 목의 증세는 쉽게 낫질 않아 16회 시험까지는 부담 없이 쉬었다. 16회 시험도 주위의 시선이 두려워 응시한 정도였고 성적은 15회보다 내려 130위 안팎으로 생각되었다. 17회 준비 1년간은 정말 순조로웠다. 절에 있을 때 만들었던 독서대의 실용신안 특허출원 관계로 9~10월에 조금 쉰 것 말고는 가끔 아내와의 대판으로 선풍기 목이 부러지거나 문짝이 떨어져 나가는 활극이 연출되기도 하는 가운데에도 예전과 같이 재미있는 생활이 계속되었다. 10월 하순부터는 풀었던 긴장을 바짝 조여 이때부터는 아내가 들 건너 마옥당까지 점심을 날라다 주었고, 잠은 여전히 집에서 잤으나 신걸이가 잠들기 전에는 우리 방에 못 오게 하고 책을 보았다.

그러나 17회 때에도 역시 정리가 다 되지는 않았다. 단지 다른 어느 때보다 정리 기간이 착실했으니 훨씬 낫겠지…. 집을 나서면서 아내에게 "신문 기자들이 수석 합격자 인터뷰하러 올 테니 당신도 피력할 소감 한마디 준비해 두지 그래" 하고 허풍을 쳤다. 건강은 좋았고 시험은 순조로웠다. 집에 와서도 역시 출발 전의 호언장담을 되풀이했다. 3월 27일 아침 먹고는 불안을 떨쳐버릴 수 없어 진작부터 낮잠에 들어갔다. 꿈결에 "무현아! 무현아!" 하는 친구의 떨리는 목소리, 그도 뒷말을 잇지 못했고 더 들을 필요도 없이 아내는 내 무릎에 엎드려 부끄러운 줄도 모르고 엉엉 소리 내어 울었다.

"형님! 지하에서도 신문을 보십니까? 아버지 어머니도 형님 생각에 자꾸만 우십니다."

6. 더 하고 싶은 이야기

공부 방법, 책의 선택, 공부 장소, 독서 방법 등에 관한 문제는 각각 제 것이겠지요. 그래도 일반론이 있다면 이미 많은 선배님들의 합격기가 말한 것과 나도 같습니다.

그래서 제 특이한 입장에 관한 것과 또 제가 따로 하고 싶은 얘기만 골라서 제 경험을 예로 들어 쓰렵니다. 다만 개인의 경험을 일반화하여 얘기하는 것은 객관성을 잃지 않을까 하는 걱정도 됩니다마는, 어느 정도 참고는 되리라 믿습니다.

독학에 대하여

응시자 중에 4년제는 물론 초급대학에도 안 간 사람들만을 독학도로 계산해도 그 수는 600명을 넘는데, 이 수는 서울대 출신 응시자 800명에 거의 육박하는 수임에도 합격자 수는 수년 만에 하나씩 나올 뿐으로 도저히 비교가 안 된다. 이런 점을 보면 대학교에는 꼭 가는 것이 좋을 것 같다.

주로 경제 사정과 연령이 문제인 것 같으나, 경제 문제라면 요즘 일부 사립대학에서 고시반을 편성하여 학비는 물론 숙식 일체까지 밀어 준다고 하니 오히려 독학보다 경제적으로 부담이 가벼울 것이다. 연령 문제도 생각 나름이 아닐까?

그래도 구태여 독학을 하겠다면

독학도들의 고시 합격률이 지극히 저조한데 반하여 대학 출신자 중에는 법대 출신이 아니고도 고시에 합격하는 사람이 많고 17회에는 수석 합격자가 공대 출신이다. 이러한 결과는 여러 가지 원인으로 연유하는 것이겠으나 나는 이 점을 대학에서 얻게 되는 일반교양 과정의 지식 탓이 아닌가 생각한다.

나는 과거 예비고시에 합격한 후에도 법서를 살 형편이 못되어 군에 입대하기까지 1년간을 예시 과목의 책을 그대로 읽었고 이것이 제대 후 법서를 공부할 때 상당한 도움을 준 것 같았다. 이런 점에서 학력 제한이 철폐된 오늘의 제도보다 과거의 예비시험 제도가 좀더 합리적인 제도가 아닐까?

흔히 독학도들은 소위 공부 방법이나 수험 정보, 고시 기술론, 고시 분위기 등에 생소함을 걱정하게 되나 그런 점은 고시 잡지로 충분하다고 생각한다. 나는 수험 기간 중 많은 사람들과 많은 얘기들을 나누어 보았으나, 수험 잡지의 합격기나 좌담회, 통계 기타 안내 편에 나오는 이상의 아무것도 얻을 수 없었다.

병역 문제

군에서 공부하기는 어렵지 않을까? 그러나 어차피 가야 한다면 일찍 갔다 오는 것이 좋을 것이다. 나는 현역 복무 중 가는 세월을 한없이 초조하게 생각했으나, 마치고 나니 부담이 없어 좋았고 또 졸병 생활 자체가 하나의 수업이 되지 않았나 생각한다. 수험 과정 중에 필요했던 끈기 있는 자세는 군에서 몸에 익힌 바 큰 것이었다.

연애와 결혼

처음 8개월에 걸친 일방적 구애 작전은 시간과 정력의 손실이 너무 컸다. 그러나 일단 결혼한 후에는 오히려 도움이 되었다. 아내의 세심한 배려는 말할 것도 없고 점심을 가지고 올 때면 언제나 따라오는 개구쟁이 신걸이의 재롱은 식사시간을 즐겁게 해주었다. 붉은 낙조를 바라보며 집에 건너오면 또 반겨 주는 신걸이의 고사리 손이 하루의 긴장과 피로를 깨끗이 잊게 해 주어, 나는 침체기를 몰랐고 따로 휴식이나 기분전환 거리가 필요 없었다.

애타는 애인들 있으면 결혼들 합시다.

건강

절대적 조건임은 두말 할 것 없고 다만 공부로 오는 정신적 육체적 피로보다 초조, 불안 등의 심리적 파탄에서 오는 손실이 훨씬 더 심각하고 장기적인 것이다. '고시 아니면 파멸'이라는 생각이나 출세에의 지나친 집착, '최단기' '수석합격' 등의 욕심은 사람을 견딜 수 없이 초조하게 만들었다. 오히려 하나의 직업인이 성실하게 직장에 임하듯 수험 생활에 임했더니 장기에 걸쳐 장소를 옮기지도 않고 공백 기간도 없이 공부를 할 수 있었다. 많은 사람들이 직업을 바꾸고도 곧잘 대성하더라. 일정시까지 안되면 직업을 바꾸면 그만이다. 여하튼 다소간의 긴장은 필요하겠으나 지나친 긴장 불안 초조는 금물이다.

또 며칠을 허송했다 하여 갑자기 초조해지고 그를 보상하겠다고 급하게 열을 올리고 무리를 하는 것은 잇달아서 또다시 며칠의 침체와 시간의 낭비를 강요하는 결과가 되기 십상이다. 지나간 시간은 아무리 아까워도 깨끗이 잊는 것이 좋다. 장기전에서의 며칠의 허송은 그리 문제되지 않는다. 나는 최종 정리 기간에도 부부관계는 억지로 금욕하지는 않았다.

여하튼 나는 이런 느슨한 자세로 공부했다. 그러나 결코 남보다 노력을 덜하지는 않았다. 보통 10시간은 넘게 공부했고 일단 책상에 앉으면 무서운 집중력을 구사했다. 머리가 혼란해지고 잡념이 생길 때에는 책을 보면 머리가 맑아지고 안정이 되었다. 그러나 일단 책을 떠나면 고시는 깨끗이 잊었다. 이런 느슨하면서도 투철한 자세는 확고한 직업관에서 왔다고 생각되지만, 또 합격에의 신념으로 보완될 때 더욱 안정적이라 생각된다.

노무현 | 대한민국 16대 대통령

236

■ 편집 후기

이 책을 만드느라
원고를 들여다보는 내내
사진을 바라보는 내내
눈물이 멈추지 않았습니다.

그분 대통령 재임시절에
저 또한
야차 같은 저들의 장단에 놀아나
함부로 내뱉은 말들 때문에
부끄러움에 겨워 한없이 울었습니다.

이 책이 최소한,
산처럼 무거운 뜻을 남기고 가신
그분에게 누가 되지 않도록 하겠습니다.
이 책으로 인한 '결실'이 최소한,
그분의 명성을 이용한 돈벌이라는
욕은 되지 않도록 하겠습니다.

그분의 뜻을 이 세상에 실현하는 일에
이 책을 온전히 바치겠습니다.

– **김이수** 책보세 주간

이런 바보 또 없습니다